CONAN HISTORY COMIC SERIES
世界史探偵
コナン
DETECTIVE CONAN
II
シーズン2
1
食と歴史
愛と友情の一皿
JN138304
原作／青山剛昌
まんが／狛枝和生・斉藤むねお

ようこそ時間冒険の世界へ！

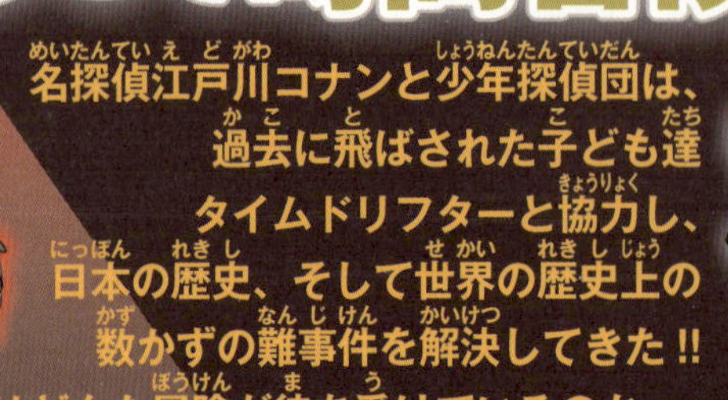

名探偵江戸川コナンと少年探偵団は、
過去に飛ばされた子ども達
タイムドリフターと協力し、
日本の歴史、そして世界の歴史上の
数かずの難事件を解決してきた!!
今回はどんな冒険が待ち受けているのか…。
コナンといっしょに歴史の旅に出発しよう！

過去へと飛ばされた13人の少年少女達、タイムドリフター。

偶然発見した〝ナビルーム〟で彼らと出会ったコナンと少年探偵団は、タイムドリフターが現代に戻るために必要な〝時のイシ〟集めを手伝うことに。強敵、怪盗ウルフと対決しながらも、日本の歴史の謎や事件を解決し、12の時代に散らばった〝時のイシ〟をぶじに集めることができた。

安心したのも束の間、今度は封印を解かれた〝歴史の悪魔〟が暴走を始める。タイムドリフターは再び日本の歴史を守るため、時間冒険する。6個の〝時の紋章〟を探し出し、タイムドリフターとコナン、少年探偵団は力を合わせて〝歴史の悪魔〟を再び封印することに成功したのだった。

コナン達を待ち受ける時間冒険はまだまだ続く。新たな謎と事件は、歴史と歴史の間に埋もれていた。タイムドリフターは時代を飛び回り、事態を解決に導いたのだった。

さらに〝チエの実〟を調査していた阿笠博士が突如姿を消してしまう。タイムドリフターは12の時代で阿笠博士の捜索にあたった。そこに立ちはだかったのは、世界の歴史の謎、事件、そして新たな強敵、猫盗賊キャラットだった。

しかし何とか〝真実のチエの実〟を手に入れたタイムドリフターのおかげで、博士は、ぶじナビルームに戻ってきたのだった。

そしていま、新たな時間冒険が始まろうとしている…。

CONAN HISTORY COMIC SERIES
世界史探偵コナン シーズン2 II
1 食と歴史
人物&アイテム紹介
少年探偵団
吉田歩美
円谷光彦
江戸川コナン
小嶋元太
阿笠博士
灰原哀
謎のハッカー・X
X
???

アブドゥル
1863～1909年
ビクトリア女王のお気に入りの従者。インド人のために、イギリス人貴族からは快く思われていない。

ビクトリア女王
1819～1901年
イギリスの女王。植民地を含めて10億人を治める大帝国の君主。

百合恵
そば屋の一人娘。富男との結婚を父に認めてもらおうとするが…。

富男
洋食店の次男。百合恵とは両想いの仲。

モハメド
1887～1888年
アブドゥルとともにイギリスにきたインド人。

料理長
バッキンガム宮殿で働くイギリス人料理長。

ロレンツ
銀座煉瓦街にある教会のイギリス人牧師。

シプジ
時間冒険をサポートする最新アプリ。

トマス
女王に仕えるイギリス人貴族。アブドゥル達が女王に気に入られているのを快く思っていない。

百合恵の父
そば屋の頑固親父。西洋のものを毛嫌いしている。

時間冒険者のアイテム

DBバッジ
トランシーバー機能のついた探偵バッジ。同じ時代の中でだけ通話可能。

スマタン
現代と過去の時を超えて通話ができるスマホ型の通信端末。

時間冒険者

幼なじみグループ

タロウ　うめ　朝陽

幼稚園のころから知り合いの2人と1匹。なかよしトリオが歴史を救う一皿を生み出す!?

世界史探偵コナン・シーズンII

1 [食と歴史] 愛と友情の一皿

もくじ

[コナンの推理NOTE]

FILE.1
謎のハッカー、あらわる!
……
ボソボソ
……
ボソ

それは面白い話ですね…
ボソ
ボソ

そっ

キミならそう言ってくれると思っていたよ!

いま、次の手を考えているんだ…簡単じゃ、彼もつまらんだろう？

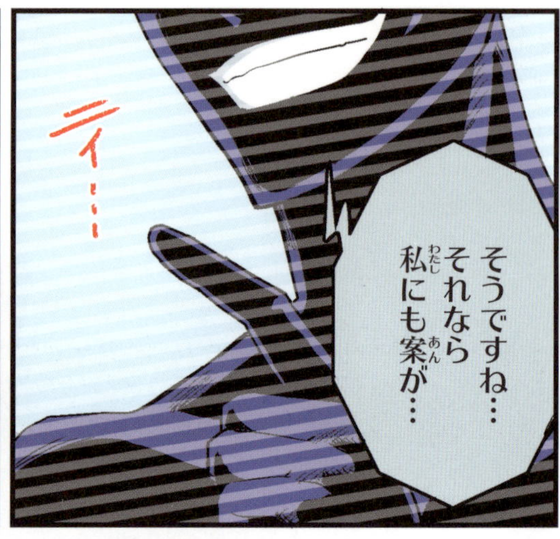
ニィ…
そうですね…それなら私にも案が…

ほう…聞かせてもらおう…

ええ、ですがその前に…
何…？

世界史探偵
コナン
1 食と歴史

何？聞こえない…!!

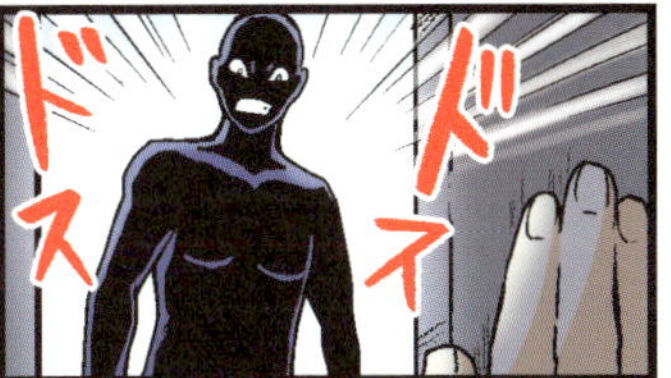
ドス
ドス

!!

ガチャ

ふあ～

哀ちゃん、眠いの？
あっ…いや…ちょっと寝不足でね…

だいじょうぶですか？

ええ、平気よ…ありがとう…

おい、博士！それで大事な話って何なんだよ！
ああ、じ、実はのう…

先週、例の場所から出てくる怪しい人物を見かけたんじゃ！

例の場所…？

ひょっとしてボク達の秘密基地ですか!?
マジかよ！

オレ達が秘密基地と呼ぶ場所には
ナビモニターというマシンがある…

オレ達はそのマシンを使って──
タイムドリフター達といっしょに日本の歴史…
そして世界の歴史を冒険してきた…

いったいだれでしょう？

いや…暗くて顔までは…

気になるなら…異常がないか、確かめにいったらいいんじゃない？

あ、哀君…

それがいいですね！正体を突き止めましょう!!
うん!!
オレ達、少年探偵団の出番だな！

どういう風の吹き回しだよ？わざわざあの場所にいこうなんて…
あら？別にいいじゃない…

ガタ
ガタ

ピカ
ピカ
ピカ

あ！神様!!
おお、少年探偵団の諸君！
いいところにきてくれた!!

いいところにって…
やっぱり何かあったのか？
それが…何者かにこのモニターに閉じこめられてしまったんじゃ…

ワシは〝日本の歴史〟の神様ではあるものの、世界ともつながっておる…
このままでは歴史に異常があっても何もできん！
世界の歴史が崩壊しかねないんじゃ！

歴史が崩壊い～!!?

みなさん、おそろいかな？

だ、だれの声!?
キョロ
キョロ
ナビモニターから聞こえたようでしたけど…

おい、神様!!ほかにもだれかいるのかよ？

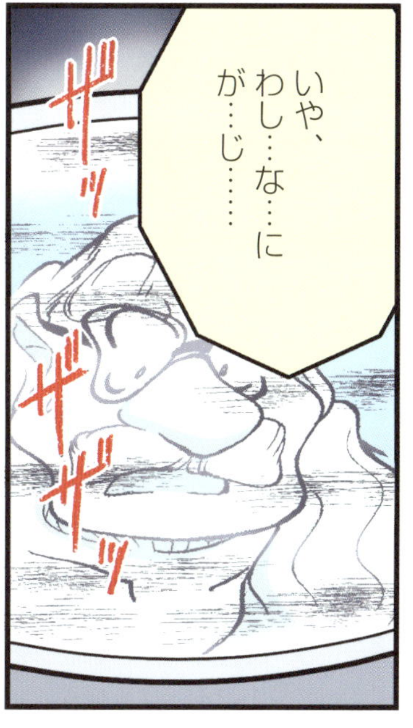
いや、
わし…な…に
が…じ……
ザッ
ザザザッ

ダダッ
な、何(なに)ごとじゃ？

ハッ
こりゃいかん！

このナビモニターはハッキングされておる！
ハ、ハッキング⁉
だいじょうぶなのかよ⁉

ハッキングねぇ…
ハハ…

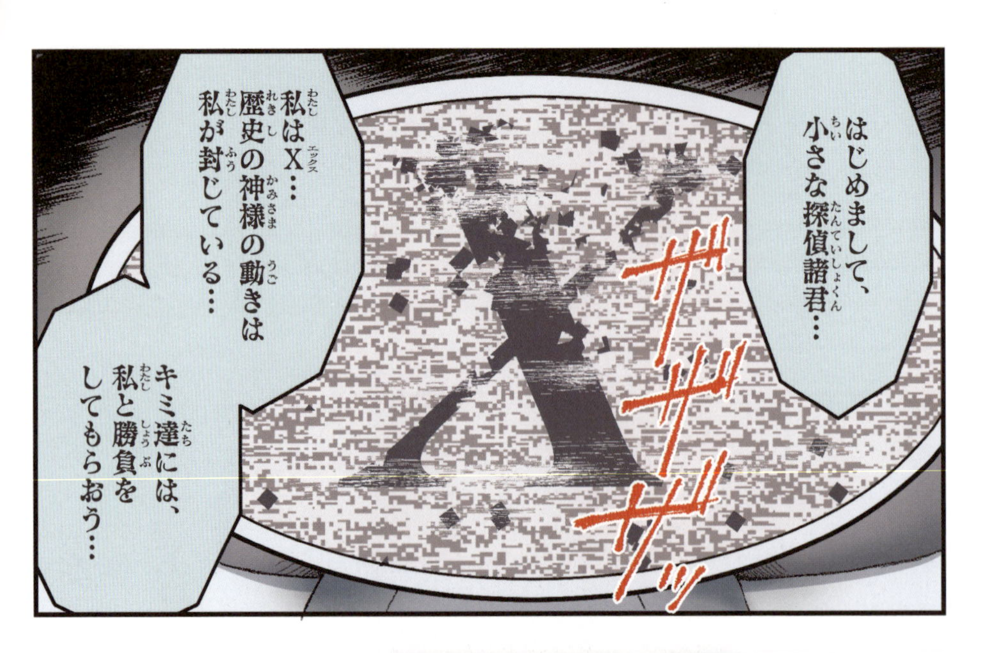
はじめまして、小さな探偵諸君…
ザザザザッ
私はX…
歴史の神様の動きは私が封じている…
キミ達には、私と勝負をしてもらおう…

しょ、勝負？

ボク達が勝てば、神様を解放してくれるんですよね!?
よーし！何で勝負すんだよ？

謎解きだよ…
ザッ
ザザッ
もし私の挑戦を受けなかったり、負けたりすることがあれば…

歴史の舞台に送られるタイムドリフター達は…
永久に、その時代に取り残されることになる！

それって…？

Xの挑戦に勝たないとタイムドリフターが現代に帰れないってことですよ!!
ええーっ!!

さあ、キミ達が解くべき謎はこれだ！
ザザザッ
X

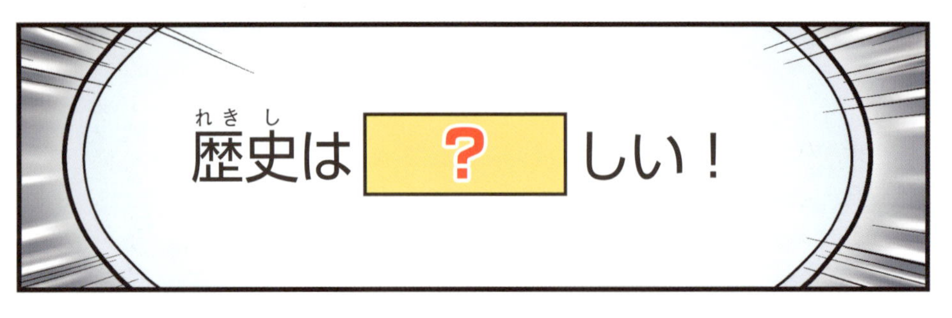
歴史は？しい！

ぽかん

え？
謎ってこれか？

また始まったな…

どうかしら…博士、ほんとうに困っているように見えるけど…
オロ
オロ
何!?

このハッキング、おそらく本物よ…

世界史探偵コナン 1 食と歴史

謎を解くヒントはタイムドリフターが手に入れるだろう…
さあ、勝負の始まりだ！

タイムドリフターの…
いえ、世界の歴史の運命がボク達、少年探偵団の肩にかかっています！

や、やってやろうじゃん！
負けないもん！

このハッキングが本物だとするなら…このXの狙いは何なんだ…？
ひとまず正面から勝負するっきゃねえか！

今回のテーマは、食べ物と水の歴史だよ!!

身のまわりにあふれる食べ物にも歴史がある！

食べ物や水は、人間が生きていくために欠かせない大切なものだ!!

HAMBURGERS

人間の歴史は、いつも食べ物とともにあった！

人間の歴史は、食べ物を調理することから始まった!?

世界は食べ物でつながっている!!
食べ物を求めて始まった人間の冒険は、やがて世界をひとつにした!!
一皿の料理に隠された歴史の真実とは?
謎を解く手がかりは…
さあ、食べ物と水の真実を見つけに時間冒険に出発だ!!

キュ

FILE. 2
そば屋の百合恵と
洋食店の富男
ここは…
どこだっ!?

ワイワイ
ガ
チンチンチン
どうやらヨーロッパのどこかみたいだ…

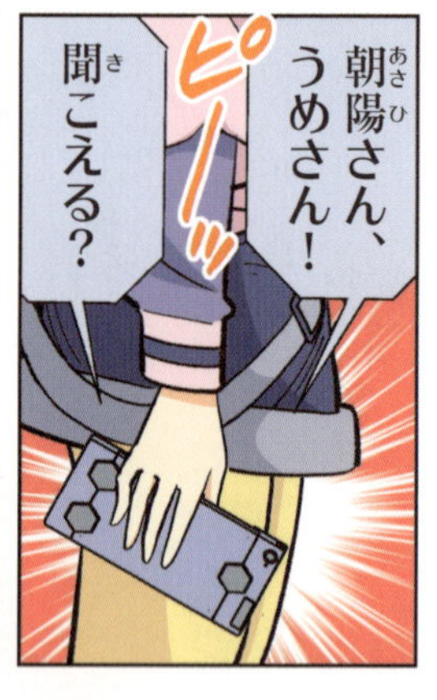
朝陽さん、うめさん!
聞こえる?
ピーッ

コナン君、聞こえるわ!
バッ

ここはどこなんだい?

それが…

Xのせいで朝陽さん達がいる時代も場所も分からないんだ…
えーっ!?

じゃあ私達また…
文字通りの時の迷子なのね…

うめさん、あきらめないで！

Xからの挑戦は
このマスに入る言葉の謎解きなんだ！
ピッ
歴史は
？
しい

その時代にやってきたということは…
その謎を解く手がかりがきっとそこにあるハズだよ！

でも簡単そうじゃん！
ヒョイ
歴史は〝楽〟しいでいけるんじゃ？

バッ
ダメよ、上に砂時計があるじゃない…
チャンスは3回よ、きっと！
まちがったら帰れなくなるわ!!

パッ
朝陽さん達ならきっと解けるよ！
ボクらも手伝うからがんばって！

分かったよコナン！
私達が解決してみせるわ！

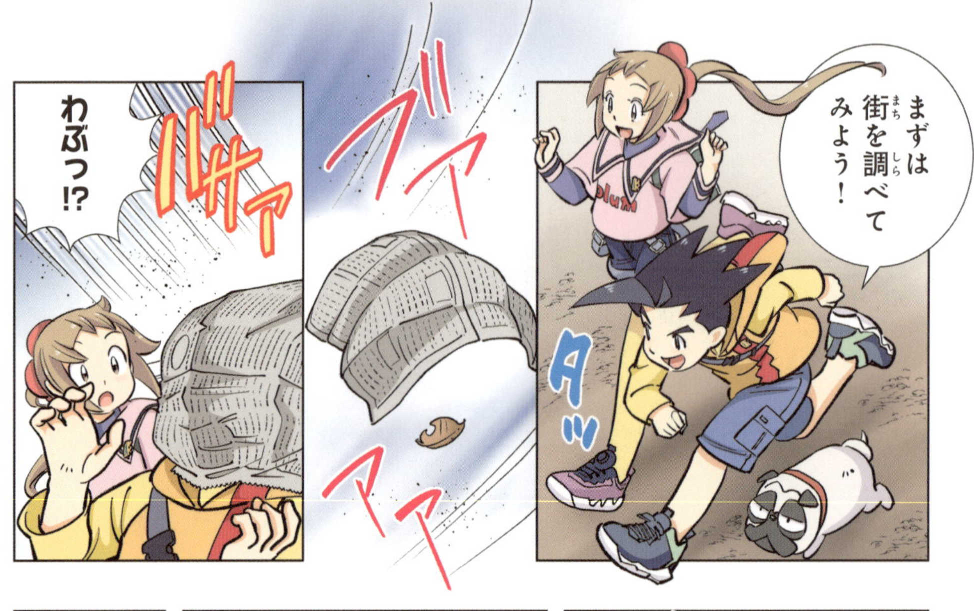
まずは街を調べてみよう！
タッ
ブア
アア
バサァ
わぶっ!?

うわーっ何も見えない！
Xの仕業か——っ!?
ゴロ
ゴロ
ただの新聞よ…

バッ
新聞だって？
これでここがどこか分かる!!
朝陽…外国の新聞が読めるの？
むむっ…

読めるぞっ！
外国の新聞が読める!!
よく見て！日本の新聞よ!!

これはどういうこと？
街は外国…
文字は日本語…
異世界転生したんじゃ…

街をよく見てください…
えっ、何だって？
私、何もしゃべってないわ！
ここ？
ここです、ここです！
ポン
はじめまして、シプジです！
うわっ、立体映像!?
あ、ちょっとかわいいかも！
私はみなさんをサポートする新アプリです！

サポート？
コナンからは何も聞いてないぞ…
どれどれ

分かりました…
チーン
ここは1904年…

明治時代の日本、東京の銀座煉瓦街です！
銀座煉瓦街!?

まさか…
どう見ても外国よ…
キョロ
キョロ

東都新聞

ホントだわ、よく見たら和服の人も！
アアッ
看板も日本語だ！
だから街をよく見てと言ったのです…
なーんかムカつくアプリだな…
削除しようかな…
ヤメテください〜〜〜っ!!

銀座煉瓦街は1872年の銀座大火のあと、
ゴオオッ
政府の方針でつくられた西洋風の街なんです！
どうして西洋風の街にしたんだい？

文明開化の世だったからです！
文明開化!?

明治時代は
江戸時代まで外国との関わりを避けてきた日本に…
鎖国
海外文化が入り始めた時代なのです！
開国

新しいものに夢中だったのね！
オレも新しいゲーム買うと夢中だぜ！

朝陽ったら、ゲームと歴史をいっしょにしないで！
ポカポカ
分かりやすいたとえだろ～！
ピラ

朝陽！背中に何か貼り紙がついてるわっ!!
ピラピラ

これは…!?
バッ
世界はつながっている
希望の光は川の流れの果てに
X
〝世界はつながっている〟…
〝希望の光は川の流れの果てに〟？
X!?

いつの間に
!?
キョロ
キョロ

気がつかなかったのか？
全然です…

役に立たないアプリじゃん！
グリグリ
消さないで～っ!!
ザッ
お主達…

変わった西洋の服を着てるのう…
バ
ン
ワシは日本画家の江東主水！
変なおじさん!!

文明開化のにおいがする…
絵画モデルにならんか？

絵画モデル！
ポワワッ
歴史に足跡残してどうすんだ！

逃げるぞっ！
これっ、待たんかっ!!
ダッ

フフッ…

スッ

Xはどこから見てるの？
“世界はつながっている”って何のことだろう…

パキィーン

パッ

うわあっ!!
いつの間にか路面電車がっ!!
ゴ

ゴトン
ガタン
ゴトン
ガタン
ゴーーッ

ガタン
ゴトン
バフゥ
バフゥ
う…
うぅーん…
だいじょうぶですか？
牧師さん!?
パ
ありがとうございます！
路面電車には、気をつけてください！
ペコ
ペコ
いや、いま確かに路面電車のほうが急にあらわれたような…
ガーーッ
バタッ
オーウッ!!

だいじょうぶですか!?
ダーッ
どうやら、いまので足を痛めたようです…
う〜ん
う〜ん

この手紙を…
急いで持っていかなくてはならないのですが…
スッ

それじゃ、助けてくれたお礼に…

朝陽!
いまは用事に流されているヒマは…

流される!
希望の先は川の流れの果てに
あっ!

これって…
うん!

牧師さん、分かりました!

オーッ
助かりまーすっ!

私はこの近くの教会の牧師、ロレンツ！
この手紙を西風亭という西洋料理店で働く、
はーーい
富男という青年に渡してください…
大きな時計！
服部時計店
ワイ
ワイ
そうだ！この近所にじいちゃんのそば屋があったっけ！
現代の銀座だけど…
店の名前は…たしか日丸庵！

おっ、人だかりだ！
ワイ
ワイ
いってみましょう、〝川の流れ〟よ！

あっ、西風亭だ!!
西風亭
SEIFUTEI
まさかここで何か事件!?

何か
あったんですか？
ワイワイ
ちょっと通して…

いま、いいところなんだ！
ドン

バフッ!!
バッ
こっちだ！
ゴソ
ゴソ
バッ
ジャン
西風亭の次男
富男
そば屋の一人娘
百合恵

キャーッ
明治の美男美女ねッ♥
キラ
キラ
キラ
テーブル囲んで
いったい何が
始まるんだ？

何でい？
何も
知らねェで
見てんのか？

いま、この西風亭で
西洋料理と
日本そばの…
対決を
してるん
でい！
西洋料理って
洋食のこと!?
日本そばっ!?

うひょー―っ
オレはどっちも
好きだけどなぁ…
ダラダラ
あっ
これってXのヒントと
重なってない？
世界は
つながっている

別べつの国の食べ物…
洋食と日本食が、
この店でひとつに
なってる…

そうかっ！
〝食べ物〟が
謎を解く鍵かも！

一歩前進ね！
となれば聞きこみだ！

すみません！何で西洋料理とそばが対決してんすか？
そりゃあ……
結婚のためじゃよ！

けっけけけけけけっ結婚っ!?
チーン
謎の答えはスパゲッティかーーっ!!
スパ…？新しい文明開化かのう？

この西風亭と向かいのそば屋は、
昔から仲が悪く…
いつもケンカばかりしておるんじゃよ…

ところがそば屋の一人娘の百合恵と、

西風亭の次男坊が恋仲になっちまった…

本来なら一人娘のところに跡継ぎがくるんじゃ…
めでてェ話じゃねぇか…

じゃが代々の犬猿の仲よ！
西洋料理店の婿はいらねェ、娘は見合いで嫁に出して店はオレの代で閉める！
ってよ…
そば屋の主人
百合恵の父

結婚は反対！お見合いで嫁に出す？
ひどいっ!!
わしらもそば屋の常連じゃ…でも西洋料理も好きじゃ！

じゃが…
2人も黙ってなかった！

お父つぁんがうなる料理をつくったら、結婚を認めて！
いいだろう!!
西洋料理店にうめぇもんがつくれればな！

そのための勝負か！
2人ともがんばって！
カチャ

お父つぁん、2人で考えた新料理よ…
ぐ…

ヤポ
ポークカツレツ…
そばです…!!

オオ
ゴクッ
文明開化の音がしてきそうだ…
そばにトンカツのっけただけみたいだ…
神様お願い…

パキッ

グッ
ボト
ボト

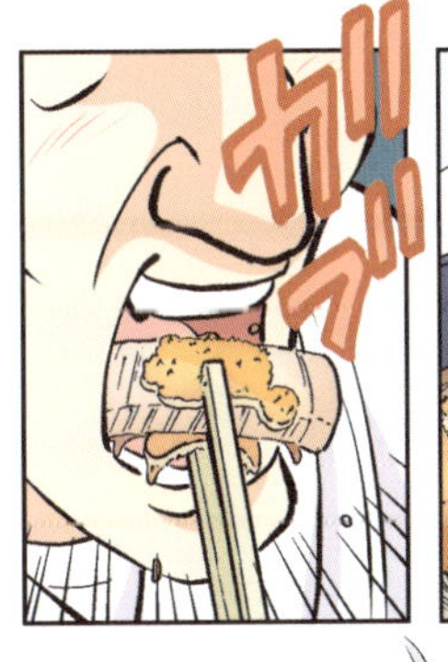
ガブ

タン
ズッ
ズルズル
ズズ〜
ガッガッ
ガッガッ
ズズ〜

こんな日本と西洋がケンカしてるみてェな味の料理が食えるかっ!!
時間をムダにしたぜ!!

そっ…
そんな〜っ!!

ダメだったか〜〜っ!!
ああ〜っ

さっさと家に戻って…
明日の見合いの支度でもしやがれっ!!
ガチャ

うわ〜っ!
もうおしまいだわ――っ!!
バッ

これでそば屋も終いかぁ…
ぞろぞろ

世界史探偵
コナン
1 食と歴史

かわいそうすぎる…
何か力になれないかしら…

そうだ！
牧師さんからの手紙！

すみません！この店に…
富男さんていますか？
ダッ

富男はボクだけど…

ロレンツ牧師から手紙を預かってきました！

百合恵さん、ロレンツ牧師からだ！
エエッ！

これか…！
これさえあれば…!!

ありがとう、キミ達！
ダーッ
いこう、百合恵さん！
ハイ、富男さん！
あ、ちょっと…
バタン
パラリ
あーあ、いっちゃった…
ヒョイ
結局、謎解きの手がかりはなしか…
ガバッ
キョロキョロ
"世界はつながっている"
"希望の光は川の流れの果てに"か…

さっきのおじさんが店やってる！
西風亭と仲の悪いそば屋だな…

跡継ぎがいなくなったから、
オレらの時代には残っていない店か！
店の名前は…日丸庵！
日丸庵
へへっ、偶然にもおじいちゃんの店と同じ名前じゃん！
ハハッ

ちょっと待てよ…
ヨロヨロ
おじいちゃんの店がなくなるってことは、歴史が変わるってことだよな…

その手紙の内容がほんとうなら…早くあの２人を止めなくちゃ…！
え!?
コナン君！どうして？

いま、朝陽さんが持っている富男さん宛ての手紙…
それには「仮死状態の薬」をつくるための材料が書かれているんだ…！

ええっ!!
仮死い!?

…って
なんだ？
ガタッ

まるで
死んだような
状態になる薬って
ことですよ！
ヤバい
じゃねぇか！

銀座の街なら
薬草を売っている
店くらい近くにある
でしょうね…
最後は教会に
くるよう
書いてある…

牧師さーん!
バーン
おっ、キミ達は!!

富男さんに手紙は渡してくれましたか?
その手紙のことだよっ!!

クン
プーー

どうしてあんな薬の材料を2人に教えたんですか?
2人に何かあったらボクまで消えちゃうじゃないかっ!!

ガーン
なぜ薬のことを…!?

オ〜ウ!
ヨロッ
2人はまだきてないみたいね…
キョロキョロ

牧師さんが何を企んでいるのか知らないけど…
2人はオレが守るからねっ!!

私も!
朝陽の未来を守るんだからっ!!

キミ達は…大事なヒミツを知ってしまいましたねェ…
ユ
ラァ

いきおいできちゃったけど…
おとな相手にかないっこない!
ひょっとしてX!?

まさか!? このヒミツを百合恵さんのお父さんに…
バラしてはいませんよねェ?
ゴ
ゴ
いっ言うわけないだろっ!!

わ
うわーっ!!

よかった…
私も2人を幸せにしたいのです…
え…？

私は以前から2人に相談を受けていたのです…
何とか結婚できる方法はないかと…
プーン
クンクン

いまこの国は、西洋から新しいものが次つぎに入ってきます…
新しいものを喜んで受け入れる人もいれば…
嫌う人もいるのです…

百合恵さんのお父さんもその一人です…
ガチャッ
私は何度も説得しましたが…
外国の和尚の話なんて聞けるかっ!!
聞き入れてくれません…

そして私は、
ゴソ
あることを思い出しました！

シェイクスピアの有名な恋愛劇を！
パラパラ
対立する2組の家族と愛し合う2人の男女を！

シェイクスムージー？
16世紀の劇作家です！
ポン
有名な恋愛劇ってアレじゃっ!?

そう！
その名は…
バン

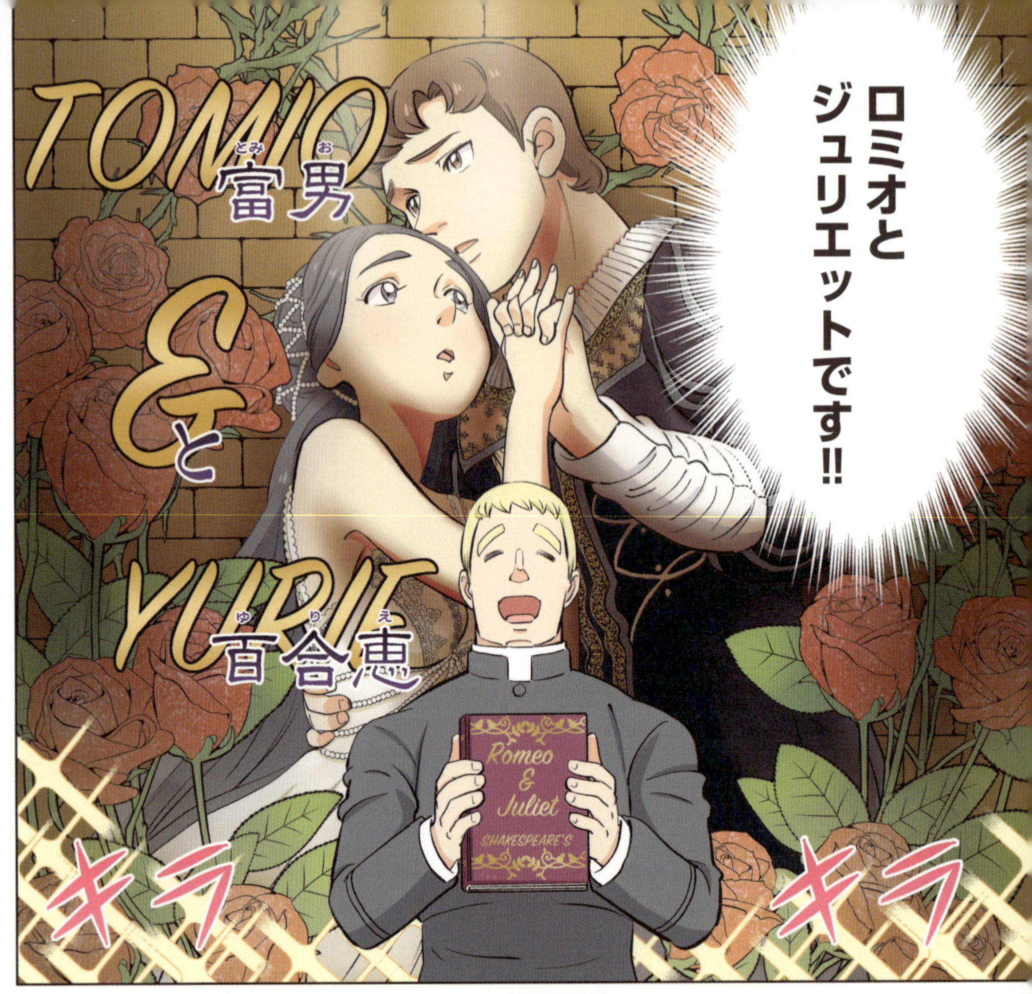
TOMIO
富男
&
と
YURIE
百合恵
ロミオとジュリエットです!!
Romeo & Juliet SHAKESPEARE'S
キラ
キラ

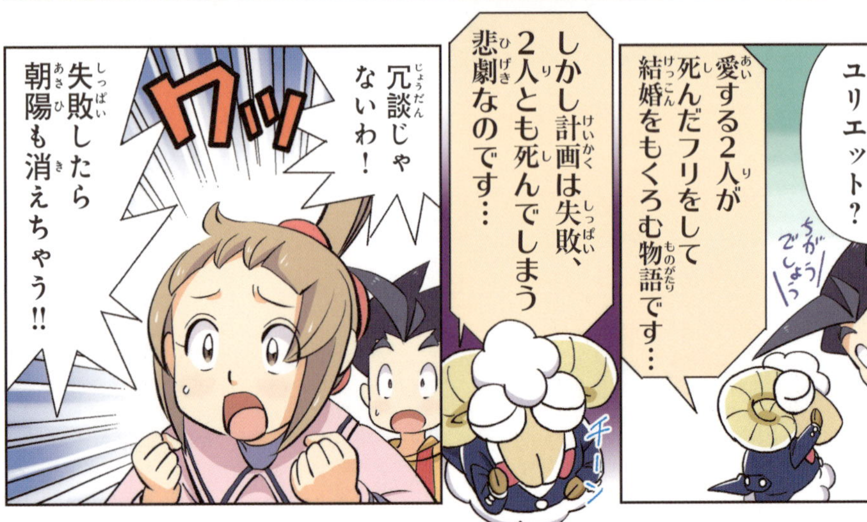
トミオとユリエット?
ちがうでしょう
愛する2人が死んだフリをして結婚をもくろむ物語です…
チーン
しかし計画は失敗、2人とも死んでしまう悲劇なのです…
冗談じゃないわ!
ワッ
失敗したら朝陽も消えちゃう!!

ボク達は失敗したりしないよ！
バアン
私達は必ず、一度死んでこの街を出るの…

富男さん！
百合恵さん!!

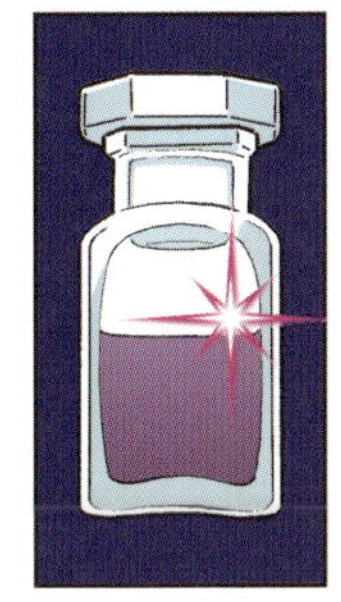

少し前から聞いていたわ…
タッ
見ず知らずのボク達のためにありがとう…
見ず知らずなんて…

こんな危険な方法はヤメようよ!!

オレがいい方法を考えるよ！
ほかに方法があれば、こんなことは考えませんでした…

バフウ、バフウ！
プーン
ガリ
ガリ
タロウ!?

それは…

私の母国の女王陛下もお気に入りの…

カレーパウダーです!!

カレーパウダー？
何でもインド人とイギリス人が共同開発したとか…

また食べ物ね…
クンクン

蕎麦処
ハッ
朝陽はそばが苦手なのか？

じいちゃん…
ザッ
ザッ
よーし、それなら…

これなら…
プーン
ゴト
どうだ？

スー…

これなら、
食べられるっ!!
ニコ

これだ！

これがあれば、
そば屋のお父さんも納得の料理がつくれるよ!!

パキィン!

パッ

あれっ、カレーの缶が!?
ぱく
ぱく

きゃああっ!?

朝陽、後ろっ!!

ここまではよく流れついた!
お前はっ!?
スッ
CURRY
POWDER
川の流れの果て
Xなのっ!?

缶を返せっ!!
ダダッ
その中にはオレと富男さん達の未来が詰まってんだ!

パキィン
きゃあああっ!
キュ
タイムドリフトだっ!!

これが欲しければ…
世界をつなげてみせろ!
ゴオオオオ!!

世界をつなげる!?
どういうことだっ?!

人類の歴史は、食べ物の調理から始まった！

人間とそのほかの動物の違いは、人間が「調理」をすることだ！

人間もそのほかの動物も、生きるために食べ物が必要なのは変わらない。人間とそのほかの動物の大きな違いは、人間が火や道具を使って、生の肉や植物などを調理して食べることだ。調理によって、より多くの種類の食べ物を、より安全に食べられるようになったことから、人類のその後の発展の歴史が始まったのだ。

食べ物の歴史を知ることは、オレ達、人間の歴史を知ることだ！

食べ物をおいしくした火と道具

葉っぱなどで食材を包み、熱した石や灰の上に置いて熱を加えることで調理する方法。

火で焼くことによって、よりたくさんの種類の食べ物を、より安全に食べられるようになった。

土器の発明！

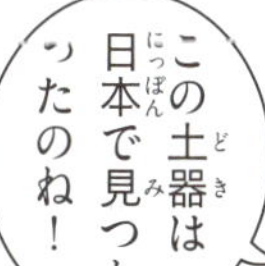

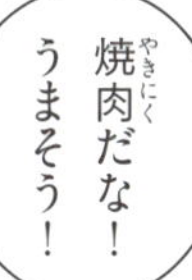

粘土を焼いてつくる器「土器」の発明により、食材をやわらかく煮て食べられるようになった。

「焼く」「蒸す」「煮る」は、いまでも調理の基本よ！

世界最古の土器

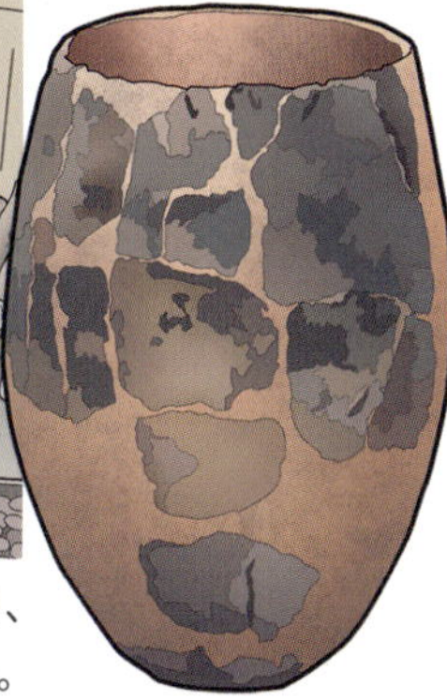

人間の脳がほかの動物より大きく発達した理由は、調理することで食べ物から栄養をたくさん摂取できるようになったことにあるんじゃよ。

古代文明を生んだ水と主食

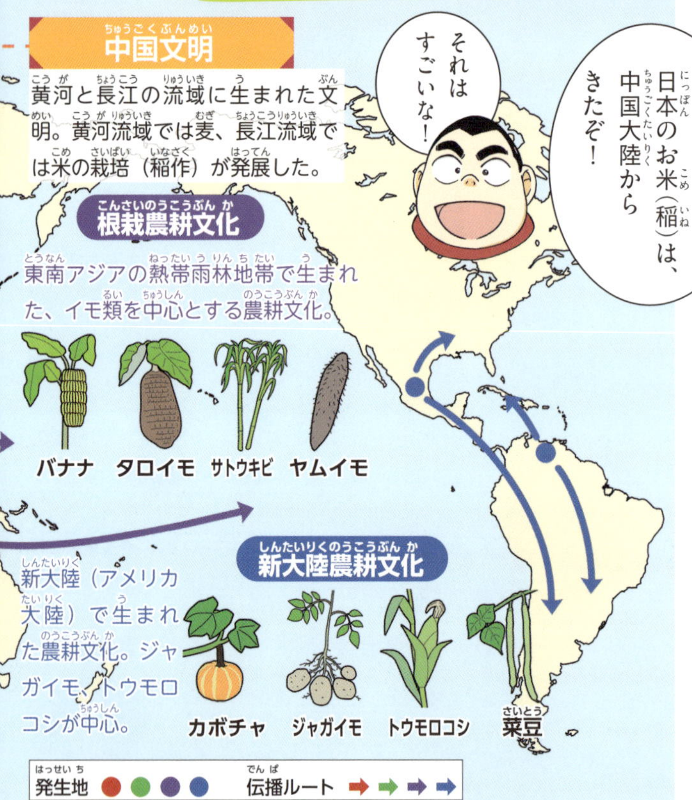

中尾佐助『栽培植物と農耕の起源』（岩波新書）をもとに作成

古代の文明（※）は、大きな川のほとりで生まれた。その理由は、川の水を利用して主食となる穀物を育てる「農耕」によって暮らしが安定し、宗教や学問、芸術などの文化を育むことができるようになったからだ。

火を使わない調理器具 電子レンジ、誕生！

1945年にアメリカで発明された電子レンジは、調理に革命をもたらした。なぜなら、電波（マイクロ波）によって食べ物に含まれる水分を振動させて加熱することによって、火を使わずに食べ物を調理できるようになったからだ。いまではみんなが当たり前のように使っている電子レンジだけれど、その発明は人間の歴史の中でもものすごく大きなできごとだったのだ。

1966年に発売された国産初のターンテーブル式家庭用電子レンジ。

※文明……世界の歴史の中で、広い地域に影響を与えた進んだ文化のこと。

日本の神話『古事記』に含まれる東南アジアの神話と近い内容は、「根栽農耕文化」とともに伝わってきたものだと考えられておるぞ。

メソポタミア文明

チグリス川とユーフラテス川の河口に生まれた文明。麦を中心に、いち早く農耕が始まった。

エジプト文明

ナイル川の流域に生まれた文明。小麦や大麦の農耕が発達した。

インダス文明

インダス川の流域に生まれた文明。小麦を中心に、米やヒエなどが栽培されていた。

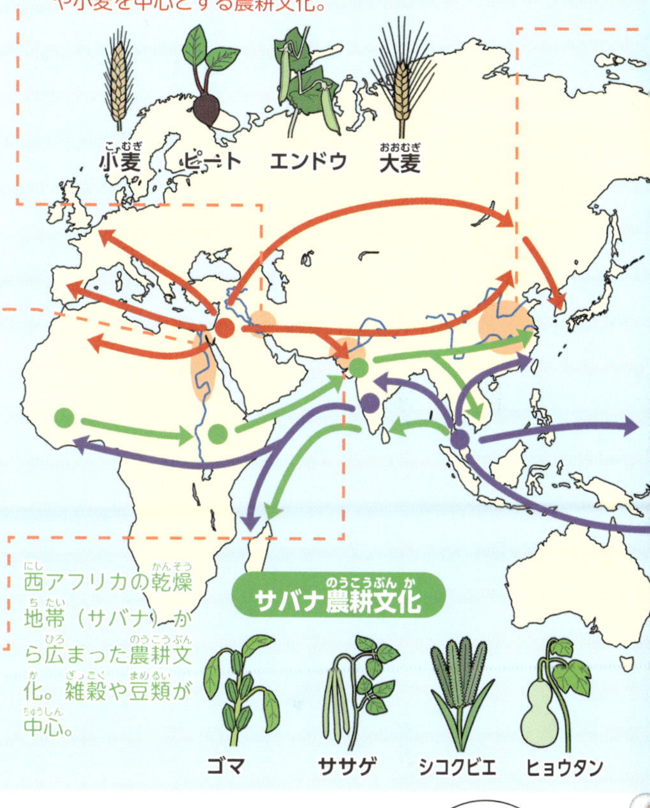

コナンの推理NOTE

食べ物をめぐる大冒険が、世界をひとつに結びつけた！

食べ物は人間の移動とともに、世界に広がっていった。

家庭の食卓や街中のレストランには、毎日、さまざまな料理が並んでいる。その中には、外国生まれの料理や、もともと日本にはなかった材料を使った料理もたくさんある。私達がいま、日本にいながらそうした世界中の料理を食べられるのは、長い歴史の中で、人間の移動とともに食材や食文化が広がり、いく先ざきで混じり合ってきたからだ。

人類が調理を始めた時期ははっきりしていないが、少なくとも約78万年前には、魚を調理して食べていたことが分かっているんじゃ。

人類は豊かな暮らしを求めて旅に出た！

人類の祖先は遠い昔にアフリカ大陸で生まれ、そこから長い旅をへて世界中に広がっていった。その原動力のひとつが、食べ物を豊かに手に入れ、より安定した暮らしを求めたいという情熱だ。

世界をひとつにした「大航海時代」！

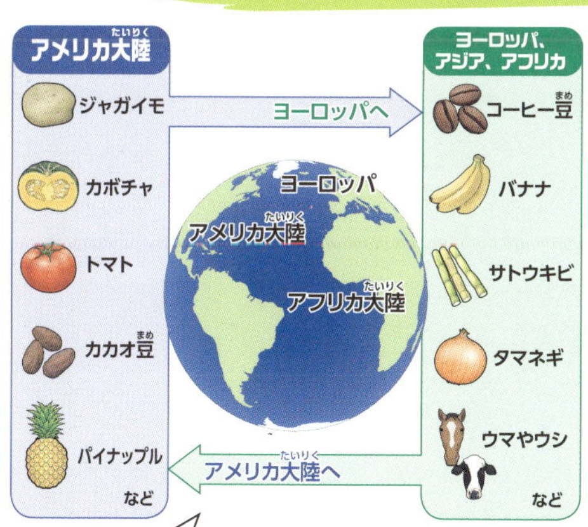

15世紀に始まった「大航海時代」は、海を越えてさまざまな植物や動物が世界中に広がるきっかけになった。

甘くて苦いチョコレートの歴史

ヨーロッパ人に支配されるまで、アメリカ大陸で栄えたマヤ文明では、カカオを神の飲み物だと考えていた。

チョコレートの主な原料は、カカオ豆と砂糖だ。カカオ豆はアメリカ大陸原産。砂糖の原料サトウキビはアジア原産で、15世紀末にヨーロッパ人がアメリカ大陸にもたらした。

アメリカ大陸を征服・支配したヨーロッパ人は、先住民やアフリカ大陸から連れてきた人達を奴隷（※）にし、厳しく働かせてサトウキビをつくっていた。

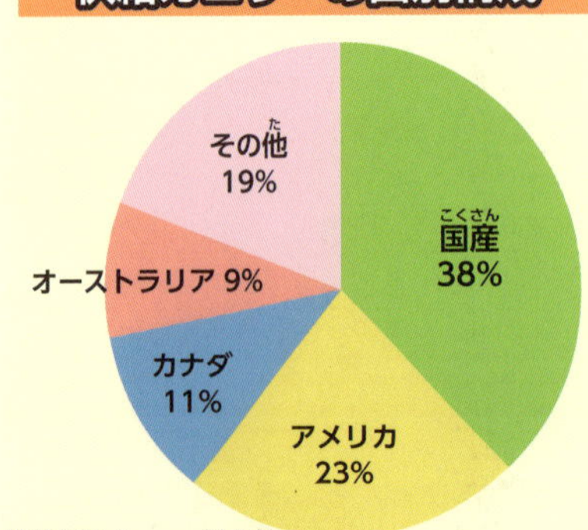

農林水産省（2021年試算）

日本の食べ物の6割は、海外からやってくる!?

私達が普段食べている食べ物は、どこからくるのだろうか？実は日本の食べ物（食料）の約6割は、外国からの輸入品。何らかの理由で輸入ができなくなったら困ってしまう。私達が安心して暮らすために、国産の食べ物の割合（食料自給率）を増やす必要があるといわれているぞ。

※奴隷……人間としての権利や自由を奪われ、他人のために強制的に働かされた人。

コーヒーと喫茶店が政治を変えた？

17～18世紀のイギリスで流行したコーヒー・ハウスは、人びとがコーヒーを飲みながら、政治や経済、文化などの情報を交換する場だった。そこから生まれた新しい考えかたは、その後の政治や文化を大きく変える力になったのだ。

もともと西アジアで暮らすアラビア人が飲んでいたコーヒーは、17世紀ごろから世界中に広まっていった。

「喫茶」は「茶を喫む」という意味の言葉。喫茶の習慣は、12世紀に中国から禅宗（仏教の一派）とともに伝えられたんじゃ。

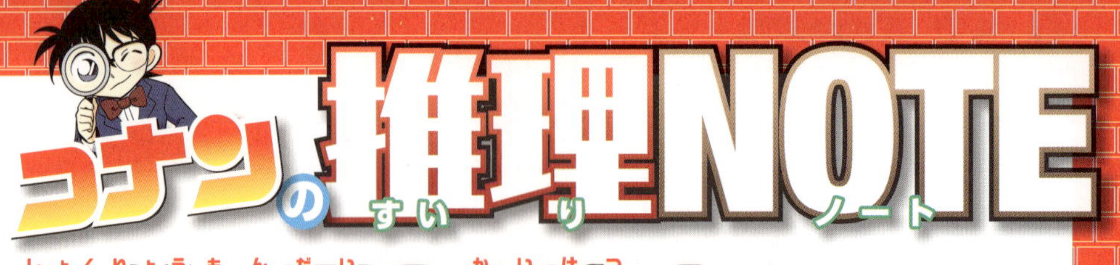

食料問題を解決するヒントは歴史の中にある！

私達の豊かな食生活の裏には、深刻な食料不足の問題がある！

日本で暮らしていると感じることが少ないかもしれないが、世界には食料不足の問題がある。国際連合の調査によれば、紛争や経済の悪化、気候変動などが原因で、3億4500万人もの人が深刻な食料不足に直面しているという（2023年推計）。過去の歴史を学んで、現在の生活を見直すことから、世界の食料問題を解決する未来を考えてみよう。

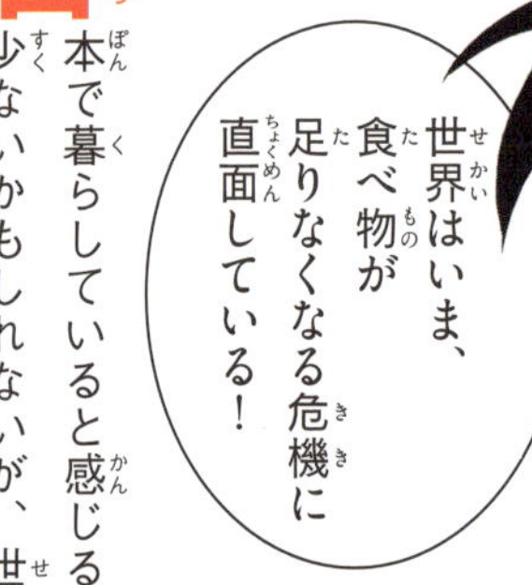

日本では毎年、途上国の人びと5000万人の1年分の食料にあたる、約2000万トンもの食べ物がムダに捨てられておるぞ。

キミの家の食卓は、世界とつながっている！

FILE. 3 激辛カレーの謎を追え！

そんな悠長なこと言ってる場合かっ!!
富男さんと百合恵さんに何かあったら…
オレ、消えちゃうんだぜ!!

朝陽、しっかりして！
謎を解けばきっと…

ワッ
うめはオレが消えてもいいのかよ!!

ハラッ
ハラハラ

いいわけないじゃない…朝陽が消えたら嫌だよォ〜っ…
わ〜ん
わっ泣くな!!
悪かった！オレが悪かった!!
バフウ、バフウ！

ロミオ…ああ、ロミオ…

これは、ロミオとジュリエットのセリフだわ…
あなたはなぜロミオなの？

この先に富男さんと百合恵さんが…いるのかもしれないわ！
ダッ

ダダダ
ダダダ
ダダ

ロミオ、あなたはどうして…
パッ
ロミオなの――っ？
ズデデッ

百合恵(ゆりえ)さんじゃなーい！
おじさん達(たち)だれ～っ!?

キミ達(たち)こそいったい…？
ムゥ
看守(かんしゅ)にゃ見(み)えねェなぁ…

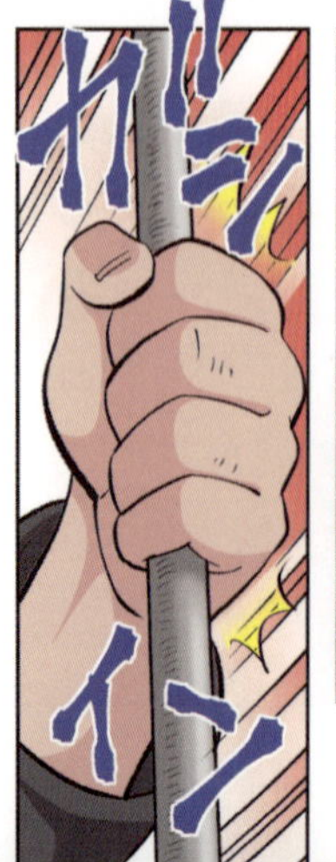
ガシイン

ちげェねェ! オレ達は閉じこめられているからな…
ガハハハハッ
カンヅメおじさんだっ!!
えっ!?
おじさん達は…!

イギリスのバッキンガム宮殿だ…
ン
バッキンガム宮殿――っ!!

ドオ
その地下さ……

オレ達、明治の東京からイギリスまで飛ばされたのか…!?
トーキョー?

どうやらお前らもよそ者みたいだな…
ふーっ

オレ達も女王陛下の在位50年を祝うために…
はるばるインドからきて…
気がつけば犯罪者扱いだ…

どんな罪をおかしたんですか?
だから!!
ガシ
悪人に見えるのか?オレが!
ガシ

私達はただ…
カレーをつくっただけなのだ…

カレーをつくっただけで罪人──っ!?
エエッ
それも、女王陛下に頼まれた本格インドカレーなのに…

だがそのカレーを食べた…
女王陛下が…

あまりの辛さに…
ギエエエエエッ!

倒れてしまったんだ…
コテッ
女王陛下に激辛カレーを盛ったの――っ!?
ヒィィッ

そんなものは…
つくっていない!

だれかがオレ達のつくったカレーを…
ゴロッ
激辛のものにすり替えたに決まってら!

カレーのすり替え!?
何のためにそんなことを!?

オレ達が…
インド人だからさ！

いま、インドはイギリスに支配されている…
イギリス人達はオレ達を奴隷だと思って毛嫌いしてんだよ!!

お前らも外国人なんだろ？
気をつけな…

これでも私達は女王陛下のお気に入りで…
女王陛下といっしょにロミオとジュリエットを観劇するほどの仲だった…
ロミオ
ジュリエット
キャーッ

それで！
ああロミオ…

分かりました！
おじさん達はボクらが助けます！
エッ

朝陽！私達は…

〝川の流れ〟…
ね！
ニコッ

無実の人を、しかもカンヅメの人を…
見捨てられません！

キミ達に、敬愛する女王陛下と…
ゴン
私達の運命をまかせよう！

これを持って…
キラ
キラ
ある人物に会ってほしい！
キラ

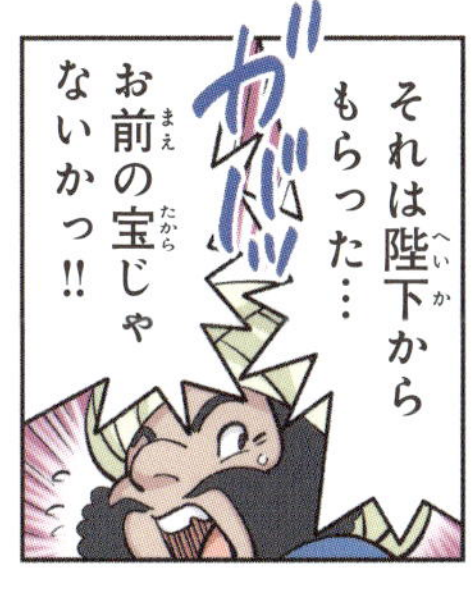
それは陛下からもらった…
ガバッ
お前の宝じゃないかっ!!

ある人物？

この宮殿の料理長だ！
これを見せれば…
彼は力になってくれる…きっと！

料理長ですね！
探してきます！

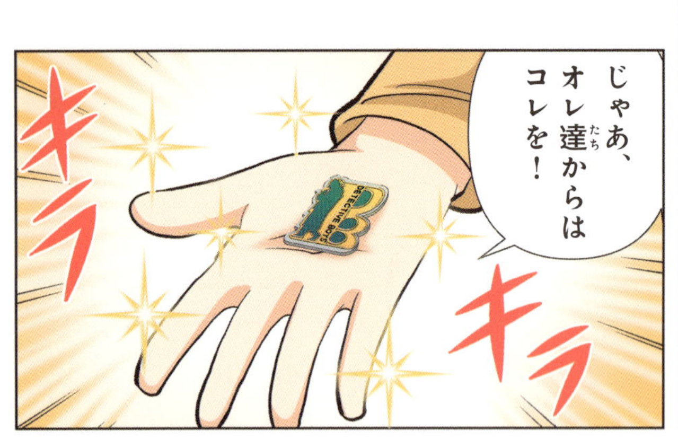
じゃあ、オレ達からはコレを！
キラ
キラ

オヒョーッカッコイイ!!
オレはこっちのほうが気に入った！

オレは朝陽、それにうめとタロウ！
私はアブドゥル!!
モハメドだっ！
ダッ

ダダ
ダダ
タタ
地上に出たわ！
バッ
そんなじゅうたんは捨ててしまえっ!!
サッ
何だ？

その皿もだっ!!
ドヤ
ドヤ
大英帝国の頂点であるこの宮殿に…
インドの物など不要だあっ!!
あれはきっとアブドゥルさん達の荷物だ…
ドヤドヤ
うん…
イギリス人達はオレ達を奴隷だと思って毛嫌いしてんだよ!!
ここが済んだら…
次は食料庫だっ!
バッ
食料庫…
料理長ならそこにいけば会えるんじゃない?
食料庫のインドのスパイスまで処分とは…
タッ
タッ
タッ
ヒイ
ヒイ
追いかけよう!
タッ

タッ
タッ
タッ
サッ
ササッ

どこまでいくんだろう…
広い宮殿ねぇ…
ザッ

おい お前達!

見かけん格好をしているのう…
うーむ
わっ!!

ワシは宮廷画家のエドモンド!
お前達、インスピレーションを刺激するのう!!

モデルにならぬかっ!
バッ
わわっ、けっこうです!

あのおじさん、どこかで見た気がするわ…
そうかぁ?
ターッ

あそこね!
ガチャッ
何とか引き離せないかな…

ててて

バフウ！バフウ！
コラッ、どこから入ってきた!?
ガジガジ

ここは宮殿の食料庫だぞ、あっちいけーっ!!
ダーーッ
てててて
いまだっ!!
バッ

タタタ

ここで待っていれば…
きっと料理長に会えるハズだ！
ザッ

シーーーン

2人っきり…
さっきケンカしたけど、まだ怒ってるかな…

うめ…
ドキッ

ここがイギリスなのは分かったけど…
時代っていつなんだろう？

そっそうね…
コナンに聞いてみよう！
バッ
バッ

あ…
パ

いまはビクトリア女王在位50年！1887年ごろでございます！
ポン

ウッキャーーーッ!!
このアプリ削除していいよねっ!!
ぐりぐり
ヤメテヤメテッ！

ということは明治の日本より…
17年くらい前の時代なのか！

朝陽さん、うめさん！
パッ

コナン君!!

話は聞いていたよ！
今回も大冒険になってきたね…

ボクもこの事件の先に謎解きのヒントがあると思うよ！
へへっ！
ほかにも何か気になってる？

…！
インドとイギリスは何で仲が悪いんだ？
ビクトリア女王のことも気になるし…

この時代、インドはイギリスの植民地なんだ…

植民地!?
外国を支配して増やした領土のことだよ…
イギリスは植民地の人や物を利用して、
本国の工業や商業をさかんにすることで、世界一の大国になったんだ…
そしてこの時代のイギリスの王こそ…
インドを含めた植民地10億人を治める、
ビクトリア女王なんだ！
10億人の王、ビクトリア女王!!

女王陛下って怖そう…
ガリガリ
ピッ
だな…
何か分かったらまた連絡するね!

コン

わっ!
わっ!
カン
カン
カン
カン
わーっ!!
パリャン

バアン
そこにいるのはだれだ――っ!!

見つかっちゃった!
逃げるぞっ!!
バッ

ヤリッ

うめっ!
ダダダ
べしゃっ
朝陽、逃げて――っ!!

うめに…
バッ
手を出すな——っ!!
朝陽!!
ガシィィッ
なかなかの紳士ぶりではないかっ!!

スパイス泥棒めっ!!

スパイス泥棒…!?

サーー…

ああっ!!
もう1人のカレー缶の人!!

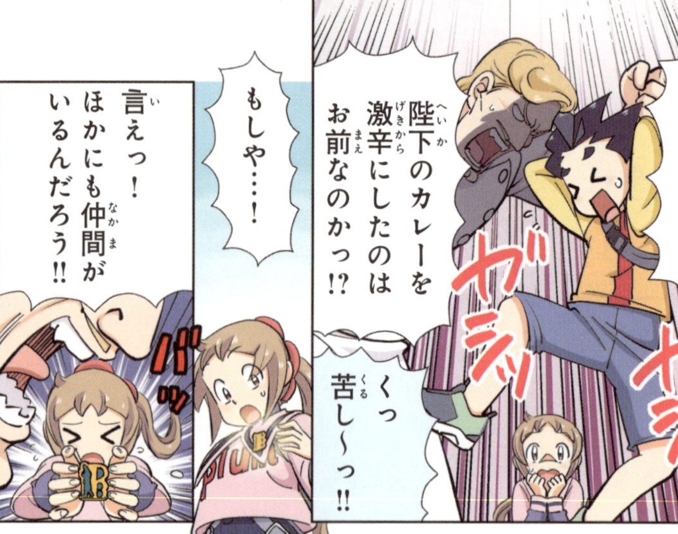
さあ白状しろ！
陛下のカレーを激辛にしたのはお前なのかっ!?
ガシッ
ガシッ
くっ苦し～っ!!

もしや…！
言えっ！ほかにも仲間がいるんだろう!!
バッ

いまの声は…料理長か？

朝陽のバッジから料理長の声が聞こえてきたぜ！
これは魔法のバッジなのか…！

ピーッ
この声は…アブドゥル君か!?

料理長!!
アブドゥル君!!
バッ

よく分からんが…ぶじなのだなっ!!

よかったよかった――っ!!
料理長さんてカンヅメの人だったのか！
ギュッ

DETECTIVE BOYS

アブドゥル君達からはインドの料理をいろいろと教わってな…
〝食〟を通じて親友になったのだ…

インド料理とイギリスの料理が…
友情を生んだんだ！

だが、それを快く思わないイギリス人もいる…
それが今回の事件を生んだのだろう…

この手で犯人を捕まえて、
彼らの無実を証明したいんだ！

いつ、カレーは激辛に細工されたのかしら？
それが分かれば犯人にたどりつけるんじゃ？

あの日はアブドゥル君が私の目の前で…
カレーを調理し…
うまい！
私も味見をした！
カレーはそのまま、アブドゥル君が陛下にお出しし…
ギェエーーッ
しかし事件は起きた！
いったい、いつ手を加えたんだ!?
アブドゥルさんは何かほかに気がついたこと、ありませんか？

そういえば…
青い調味料入れのビンを失くしたんだ…
キラ
キラ
DETECTIVE BOYS

手がかりが見つからないなら、まず…
バッ
ほかの方法で2人を助けることを考えようよ！

うーーん
思いつかん…
トコ トコ トコ

クン クン
バフウ、バフウ!
ガジ ガジ
あっ、タロウ!勝手に食べちゃダメだっ!

お腹空いたのか?
ベロ ベロ
さっきは助かったぜ。
カレーの話してたら食べたくなっちゃったーっ!
ふーっ

カレーが食べたく…

それだよ!!

もう一度アブドゥルさんのカレーを女王に食べてもらうんだ!
おいしければ許してもらえるんじゃないかな?

しかし、この状態ではカレーをつくれない…
レシピもアブドゥルしか知らないぜ!
DETECTIVE BOYS

しゅん
そっかぁ…いいアイデアだと思ったのに…

ピッ
もう1人レシピを知ってる人がいる!

私だ!
ビッ
アブドゥル君のカレーづくりを、間近で見ていたから全部覚えている!

さすがは料理長──っ!!

アブドゥルさん達救出作戦の行動開始だぜ!

朝陽君、ニンニクとショウガをとってくれ!!
ジュー
ハイッ!
ジュー
うめさんは、そこの調理台からトマトをとって!
ハイッ!
ダダ
ダダ
てててっ

特製スパイスを入れるよ！
ザァァ
ジュァァァッ
これがカレー？
いろいろな香りがするわ――っ！
このスパイスの調合が…
アブドゥル君のとっておきなんだ！

さあ、このカレーを…
女王陛下にごちそうするぞォ！

懲りもせずまたカレーか…
何度やっても同じことだ！

コナンの推理NOTE

新しい時代とともに、カレーが日本にやってきた！

みんなが大好きなカレーについて、日本と世界の歴史から考えてみよう！

江戸時代の日本は、外国との交流を控えていた。その後、明治時代になり外国との交流がさかんになると、さまざまな料理が日本にもたらされることになった。そのひとつがインド発祥の料理、カレーだ。そのころ、インドを支配していたイギリスを通じてやってきたカレーは、さまざまな姿に進化して、いまや日本人の「国民食」といわれるほどになっているぞ。

世界史の大きな動きが、日本にカレーをもたらしたんだ！

カレーは「文明開化」とともに！

「カレー」の語源は、スープや汁物を指すタミル語（インドのタミル地方の言葉）の「カリ」だといわれておるぞ。

明治時代のはじめに、西洋（ヨーロッパとアメリカ）の文化を積極的に取り入れた風潮を「文明開化」という。

昭和時代になると、カレーライスは百貨店の食堂の人気メニューになった。

明治時代の料理本

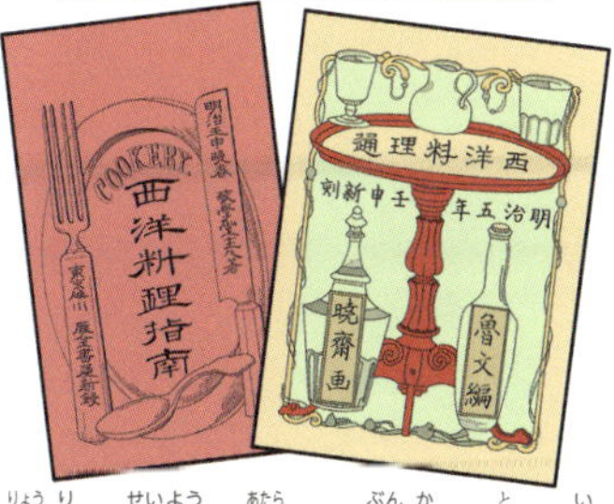

料理は西洋の新しい文化を取り入れるきっかけになった。西洋料理のつくりかたを紹介する本も出版され、その中でカレーのつくりかたも紹介されていたぞ。

いつかは食べにいきたい！　世界のカレー

ジャマイカ

スパイスで味付けして焼いた鶏肉ジャークチキンを添えたジャマイカのカレー。

タイ

グリーンカレーで有名なタイカレーは、「ゲーン」と呼ばれるタイ独自の料理だ。

トリニダード・トバゴ

小麦粉の皮にカレーを包んだ「ロティ」は、インド人労働者がもたらした料理だ。

異なる文化の出会いがおいしい食べ物を生む

インド発祥の料理カレーが、日本人の味覚にあったカレーライスになったように、外国料理が受け入れ側の国の食文化と混じり合って、新しい料理に発展することは多い。オムライスやラーメンも、日本人の味覚にあったおいしさを求めて進化した日本育ちの料理だ。

1772年、イギリスにはじめてカレーを紹介した人物はウォーレン・ヘイスティングス。インドにあったイギリスの植民地を治めていた人物じゃよ。

ドイツ

ドイツ名物のソーセージにカレー風味のソースをかけた「カレーブルスト」。

ネパール

インドの北にあるネパールでは、豆を使った「ダルカレー」がよく食べられる。

インドネシア

インドネシアの「ソトアヤム」は、カレー味などのスパイスを効かせたスープだ。

シンガポール

魚の頭が入った「フィッシュヘッドカレー」は、シンガポールの名物料理だ。

コナンの推理NOTE

インスタント食品のルーツはカレーにあり!?

調理の手間を省いたインスタント食品の歴史を振り返ってみよう！

温めるだけで食べられるレトルト食品など、短時間の調理で食べられる「インスタント食品」は、忙しくて料理をする時間がない人や、料理の手間が面倒な人達の味方。いまや現代の食生活に欠かせない存在になっている。カレーの調理方法の発展の歴史には、調理の時間と手間を減らす人間の工夫の歴史が詰まっているぞ。

カレーの辛味に欠かせないトウガラシは、アメリカ大陸が原産じゃ。ポルトガル人が16世紀に持ちこむまで、インドでは主にコショウで辛味をつけていたんじゃよ。

調理の手間を省く挑戦の歴史！

カレーの本場インドでは、さまざまなスパイスを混ぜ合わせて味付けをする。

カレーパウダー（カレー粉）

19世紀のイギリスで、はじめからスパイスを混ぜ合わせたカレー粉が商品化された。

1905年に発売された日本初の缶入りカレー粉「蜂カレー」。

カレールウ

とろみを加える小麦粉をスパイスと混ぜて固めたカレールウの誕生で、調理がより簡単に！

レトルトカレー

レトルト食品は、缶詰に代わる長期保存用の加工食品として開発されたもの。1968年発売の「ボンカレー」（大塚食品）は、世界初の市販用レトルト食品だ。

コナンの推理NOTE

世の中を変える「革命」はいつも空腹とともに！

満足に食べることができないことへの怒りが、歴史を動かすこともある。

支配されてきた人びとが支配者を倒して、国や社会のしくみを大きく変えることを「革命」という。フランス革命やロシア革命は、その代表例だ。革命が起きる理由はさまざまだが、満足に食べられない世の中に対する怒りや不満がきっかけになることが多い。人間は食べなければ、生きていけないからだ。空腹は歴史を動かす大きな力になってきたんだよ。

よりよい世の中を求めた人びとの戦い、それが「革命」だ！

米騒動（1918年　日本）

「革命」ではないが、米の値上がりに対する人びとの怒りが爆発した事件だ。

パンを求めて始まった2つの大革命

フランス革命（1789年）

王や貴族に支配されていた人びとが、「自由と平等」を求めて始めた革命。国王ルイ16世に抗議する「ベルサイユ行進」では、「パンをよこせ」が合言葉になった。

フランス革命の最中の1789年10月、国王ルイ16世が暮らすベルサイユ宮殿に、パンを求めて押しかける女性達。

ロシア革命（1917年）

1914年に始まった第一次世界大戦の末期、ロシアでは長引く戦争と食料不足に対する不満が高まっていた。不満が爆発し、人びとは戦争を続ける政府を打ち倒した。

ロシア革命は、戦争の終結を求め、食料不足に抗議するために集まった数万人の女性達のデモから始まった。

ロシア革命のきっかけになった女性達のデモが起きた3月8日は「国際女性の日」じゃ。現在は、国際連合が定めた国際記念日のひとつになっておるぞ。

FILE. 4
女王陛下は
カレーがお好き…？
キンコーン
カンコーン
女王陛下のおなーりー…
ザザザッ
ゴゴゴゴ
植民地を含めて
10億人を治める
イギリスの女王…
どんな怖い人なんだろう…

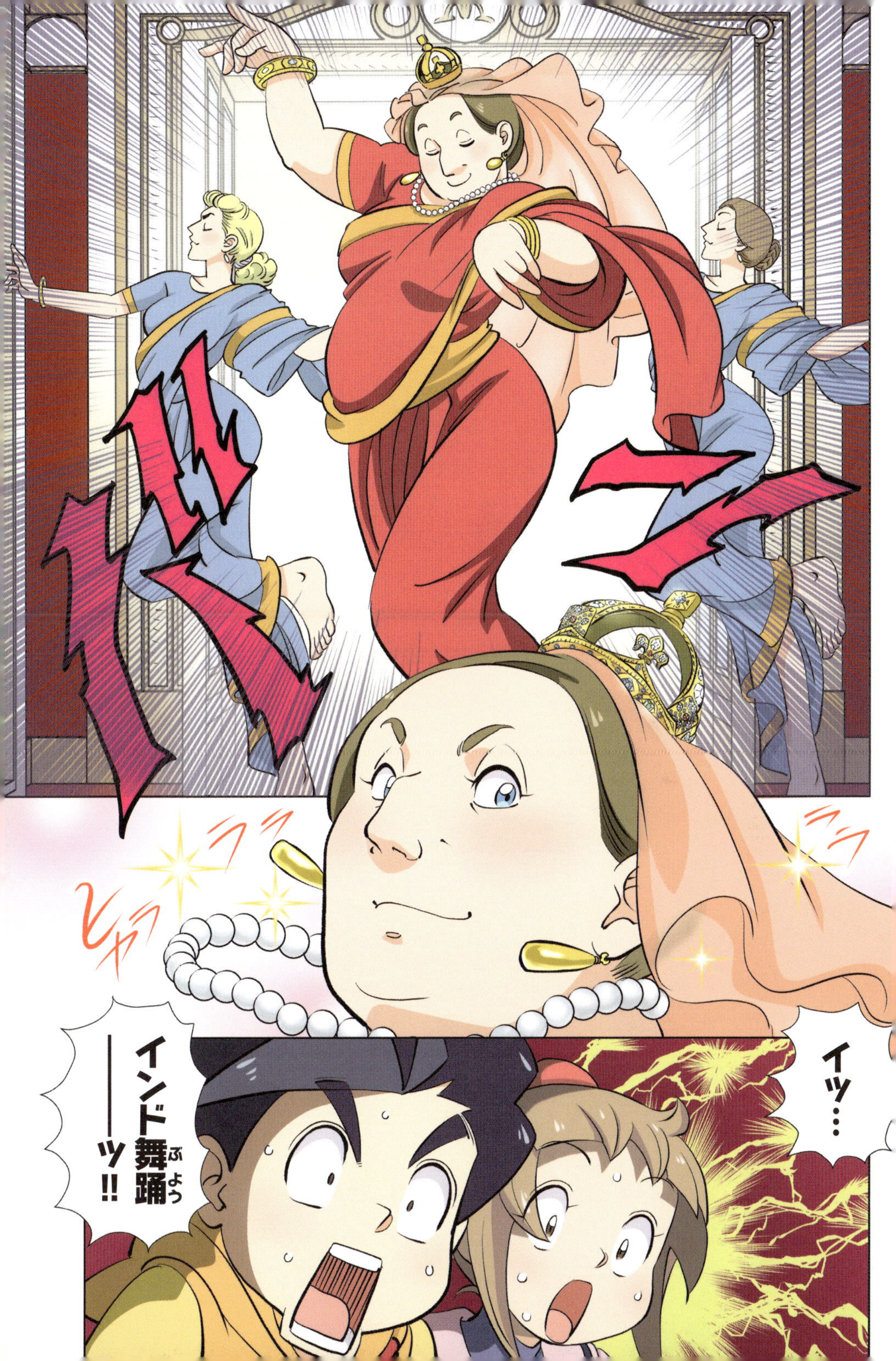
ララ
ヒャラ
ララ
イッ…
インド舞踊——ッ!!

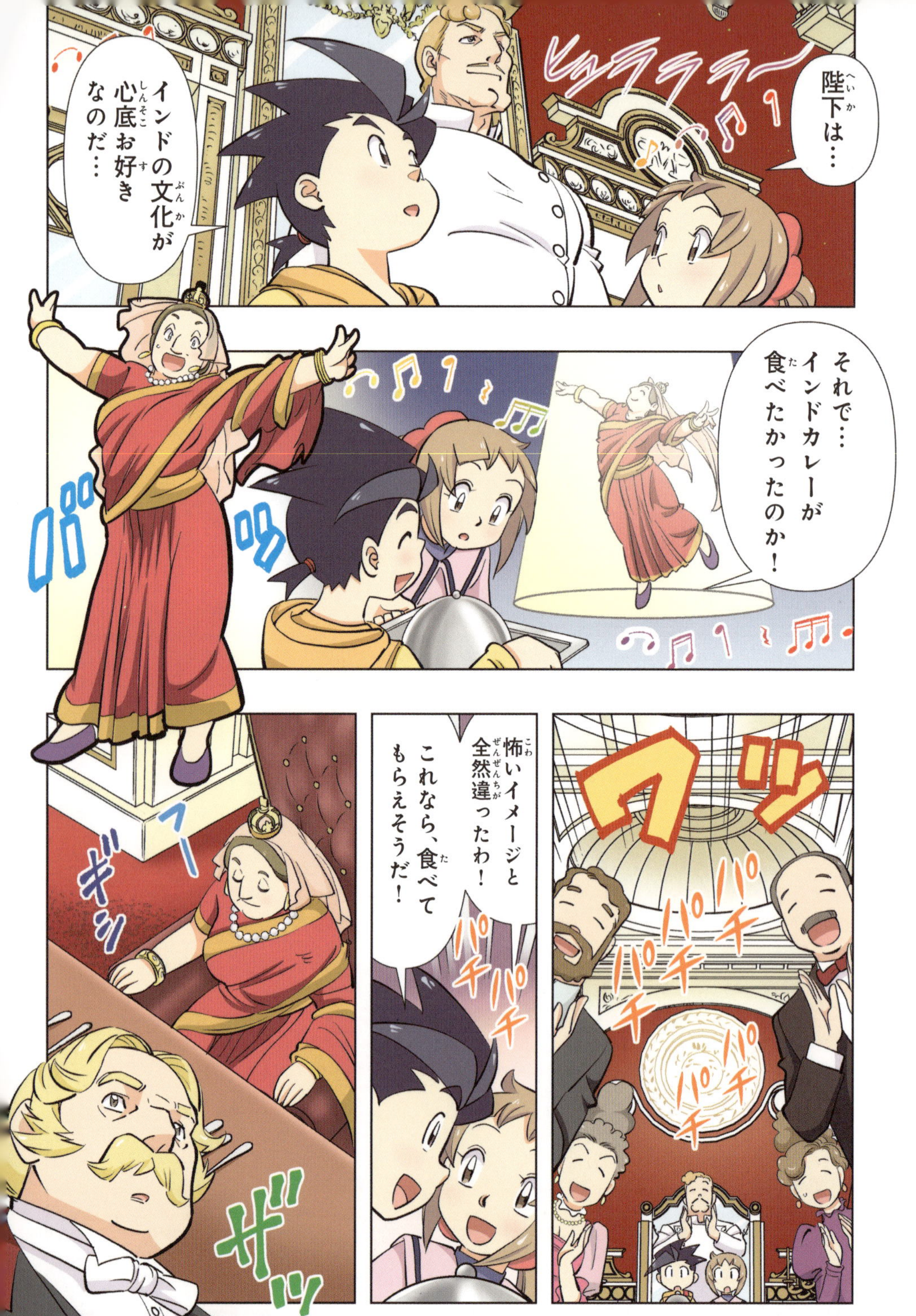
陛下は…
ヒッラララ〜
インドの文化が心底お好きなのだ…
それで…インドカレーが食べたかったのか！
パッ
パッ
ワッ
パチパチパチ
パチパチ
パチパチ
怖いイメージと全然違ったわ！
これなら、食べてもらえそうだ！
ギシ
フー
ザワッ

あの人…!!
ツカ
ツカ
インド嫌いの人だわ…
彼は、陛下に仕える貴族のトマス伯…
信頼の厚い人物だよ！

おからだの具合はもうよろしいので？
空腹なこと以外わね…

フォ
フォッ
それはお元気なことで！

見て！
ガチャ
画家のおじさんよ…
じろ
じろ
何しにきたのかしら？

あの画家…
ザッ
ザッ
陛下が倒れられたときもいたな…！

さあ、陛下にお食事を！

いくぞ、うめ！
アブドゥルさん達救出作戦開始だ！

ザッ
ザッ
あら、今日の給仕は外国人の子ども？
ザッ
ザッ
何を食べさせてくれるのかしら…
先日のようなインドカレーはもうたくさんよね…

きょ…
ゴクッ
今日の昼食のメニューです！

カパ
ファアア

プ〜〜ン
ピクッ

この香り…
まさか…!!
プ〜〜ン

カレーだとォ!?
貴様達は女王陛下を殺すつもりかぁ!!
ファアァア〜

違います!
これはアブドゥルさんがつくった…
正真正銘のインドカレーです!

アブドゥル!?
陛下に激辛カレーを食べさせて捕まったあのインド人か!?

インド人の指示できた暗殺者だなっ!?
ビッ
引っ捕らえろ!!
ダーッ
エエ〜〜〜ッ!!

お待ちなさい…

正真正銘のインドカレーと言いましたか？

ハイ、陛下の食べたカレーは…
何者かが細工した偽物です!!

何をデタラメを!
陛下、耳をかたむけてはなりませぬ!

バッ
食べましょう!
陛下ァ〜〜ッ!!

陛下がカレーを…
何もなければいいけれど…
ザワ
ザワ

しかし、アブドゥルは捕らえられていると聞きました…
では、このカレーをつくったのはだれです？

私が記憶から彼のレシピを…
再現いたしました…

よろしい…
それなら、これはアブドゥルのインドカレーです！
こんなときにコナンからメッセージ？
ガチッ
ピッ
なっ…
カレーに近づく人物に気をつけて！
さぁ…
カレーをここへ！
パッ

バッ
陛下！激辛カレー事件の結末を…
どうか私めの筆に収めさせてください！

歴史に残る名画にしなさい…
フッ
ササッ
どこかで見た気がするわ…
怪しい！

ターッ
ササッ
カチャッ
こちらです！

う〜〜ん…
プーン
いい香りがするわ〜…

アーン
じっ

サッ
パク

陛下、私がまず毒味を!!
バッ

さすがトマス伯!!
オオ

よけいなことはよい…
私は腹ペコじゃ!

パラ
パラ

失礼いたしました…
カチャ

あのときも同じやりとりがあった…!!
すっかり忘れていたよ!
えっ…
カツ
カツ

じゃあ、女王が食べる直前に器を触ったのはトマスさん…!!

ブヒャ!
ブヒャ!!
タロウ!
ゴロ
ゴロ

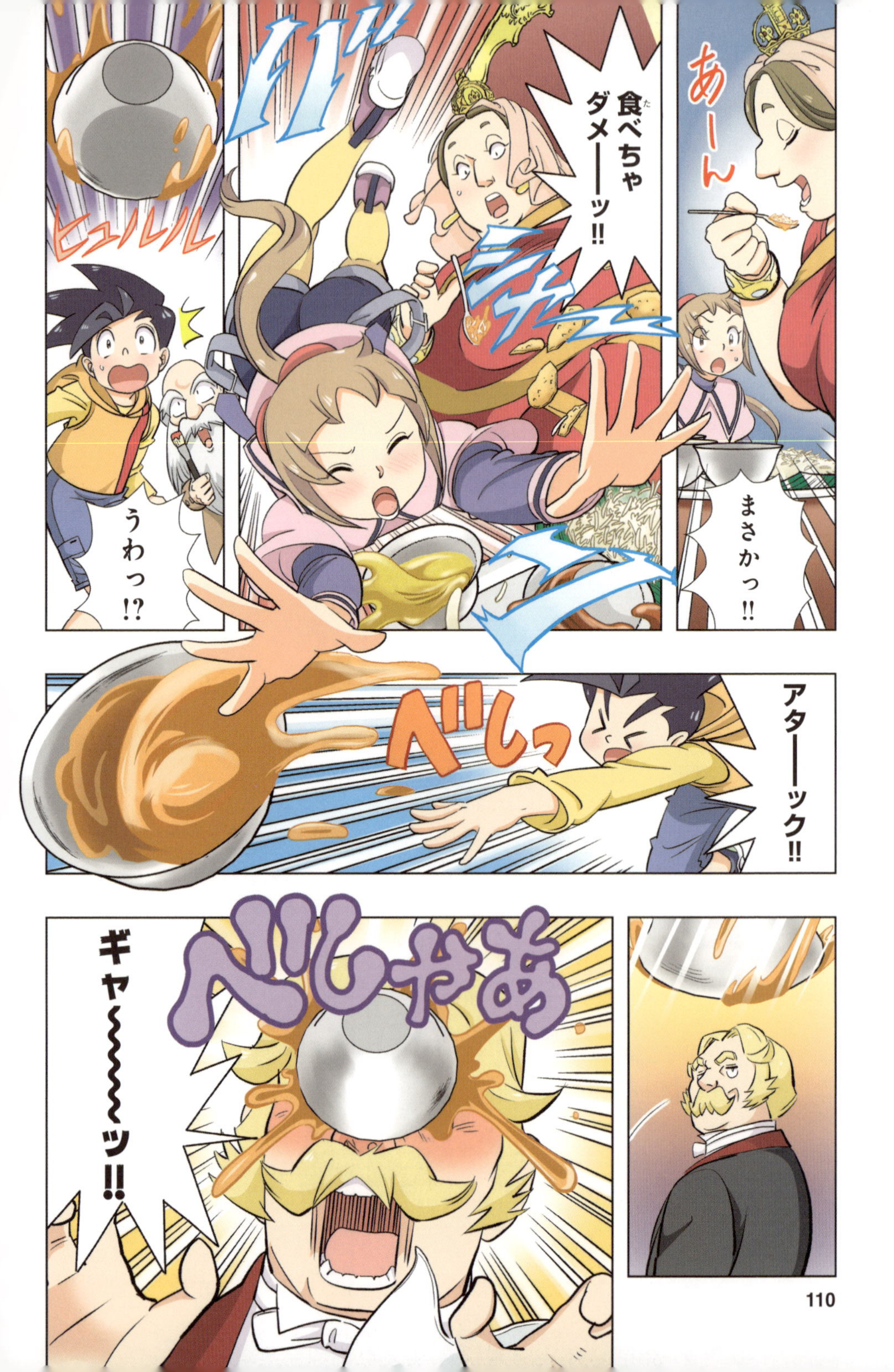
あーん
まさかっ!!
食べちゃダメーーッ!!
バ
シュ
ヒュルルル
うわっ!?
アターーック!!
べしっ
べしゃあ
ギャ〜〜〜ッ!!

うげーーっ
目がーーっ!!
ヒィィッ!
イタイ、
イタイ!!
そんな…!?
普通のカレーだぞ…

ポロ

カラーン
あれは…!!
コロ
コロ

アブドゥル君が
失くしたと言っていた
青いビン…
クン

うっ…
これは激辛の
チリペッパーだっ!!
ということは…
まさか、あなたが…
ゴゴ
味を細工した
真犯人…!!
だとしたら、
何だね?

ドン
私は、あのいやしいインド人から陛下をお守りしているだけだっ!!
陛下をお守りする、それが王室に仕える者の義務であろう!!
アブドゥルさん達は…
そんな人達じゃない!
待て!イギリス人もインド人もない…
キッ
一人ひとりみな、かけがえのないこの国の民じゃ!!
トマス…
しばしの間、牢に入り心を改めよ!
サーッ

なぜだ
——っ!!
バン

なさけない…
ハー

小さいのにからだをはって、よく私を守りました…
あなた達こそ、私のそばにいてほしいものです…

せっかくのカレーが台無しだわ…
場所を変えてもう一度いただきましょう…
面白い絵がかけたわい!
ホホッ
おじさんは無関係だったんだね…

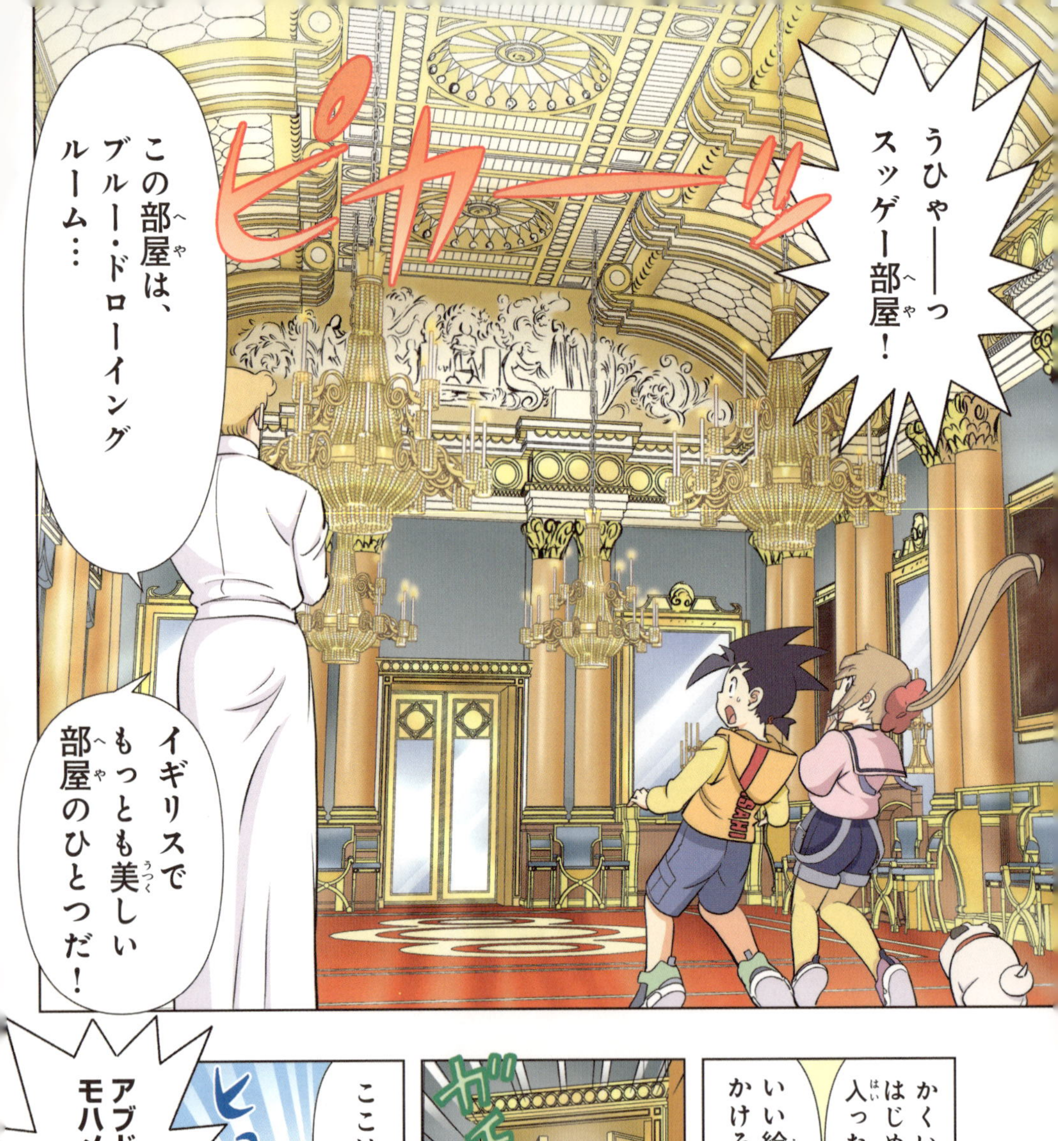
うひゃーーっ
スッゲー部屋！
ピカー!!
この部屋は、
ブルー・ドローイング
ルーム…
イギリスで
もっとも美しい
部屋のひとつだ！

かくいう私も
はじめて
入った！
いい絵が
かけそうじゃ！

ガチャ

ここは…？
ヒョイ
アブドゥルさん、
モハメドさん!!

ぶじに出られたんだね！
返すね！
助かったよ！
カレー事件の真犯人は捕まったのだから…
ガチャ
当然です…
女王陛下っ!!
でもインドカレーの試食はこれから…
どきっ
もしまずかったら…
なぁーんちゃって！

堅苦しいのはナシ！早く食べましょう!!
ホホホッ
やっぱ怖い人だな…

カチャ
カチャ
チラリ

ところで…あなた達は…
この国には何の用でいらしたのかしら？
えっ!?

探し物にきました…
探し物？
手がかりまでは見つけたんですが…
歴史に関わる…
大事なものなんです…
歴史…
ですか…
陛下っ！彼らは私の恩人です！
このカレーも彼らがいればこそ！ぜひお力をお貸しください！
分かりました…
ニコッ
私も手を貸しましょう！
まずは…
食べてからです！

私のカレーと寸分変わらない香りだ…
香りだけじゃないぞ！
フフッ！
いただき
ま――す！
パクッ
ゴゴゴ
ザパッ
ザザ
ザッ

これは…
スパイスが海を渡り…
国境を越えてイギリスへやってきて…
SPIC
ひとつになるまでの物語が口の中で見えるみたいだ!

歴史を探していると言いましたね…
ハイッ!!
ううっ

見つかりましたよ…
ガタッ
エエッどこに!?

ここ!!

カレーの中に歴史……！
食べ物には……
国境などない！
私はこのカレーを……
イギリス中の人が食べられるものにしたい……！
陛下、私とアブドゥル君とで……
ガッ
このカレーを商品化させてください!!
おおっ!!

ンン〜〜ッ イメージがっ！
名画のイメージがわいてくる〜〜っ!!
オオオ

ベしベしっ
おじさん、何をかいているの？

完成じゃーーっ!!

題して…
バッ
イギリスとインドの友情カレーじゃあ！
これはあの…カレー缶のパッケージだっ!!

うめっ！世界がつながった！
バッ

そうか…！オレ達、このカレーパウダー誕生の…
お手伝いをしていたのね！

きっと…
これが〝川の流れの果て〟の〝希望〟ね！

やっぱり困っている人は……
ヌッ
助けなきゃだね！

グッ
世界をつなげたか……
パキィン

ザッ
ザッ

スッ

さあ、約束の品だ……
カシャッ

しかし間に合うかな？
ス…

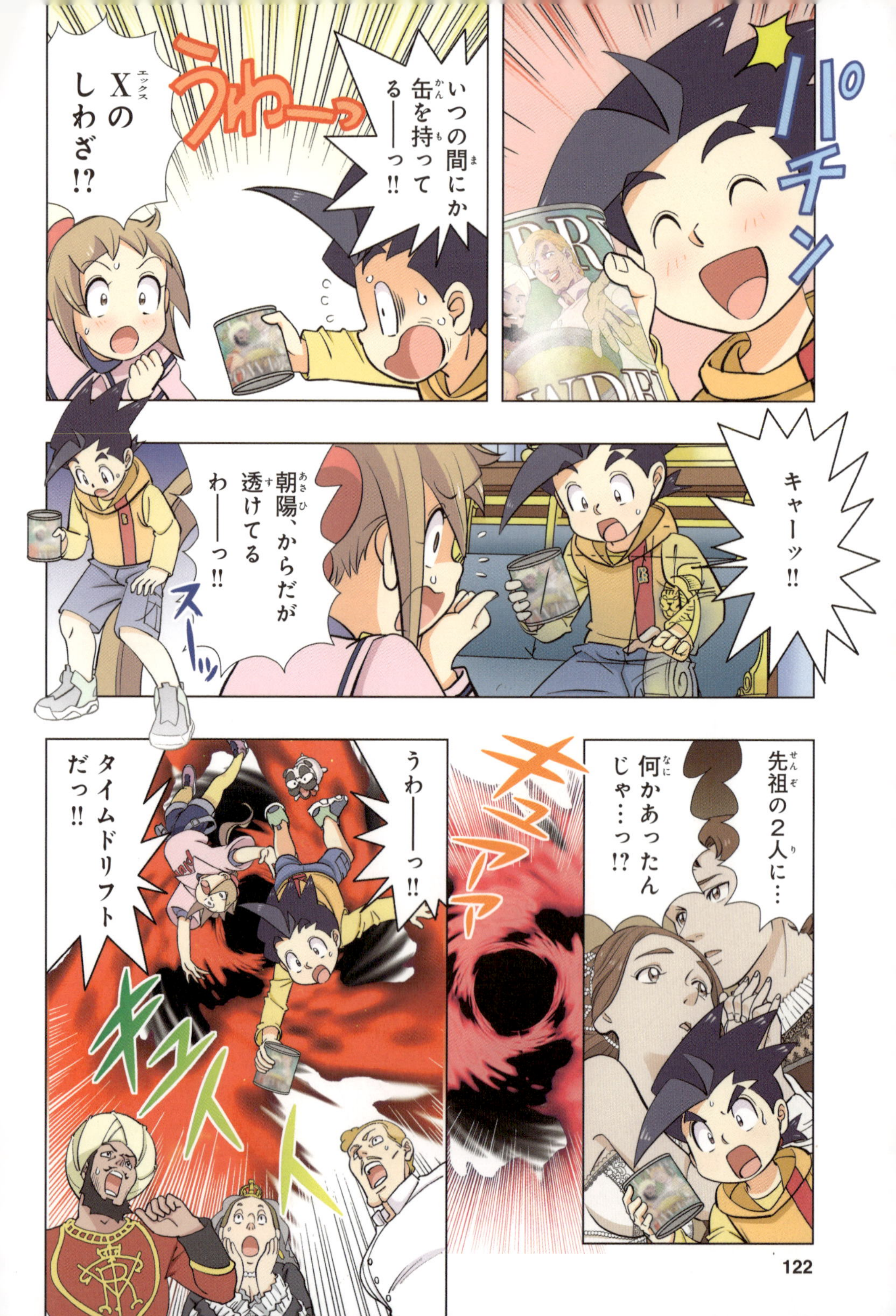

パチン
うわーっ
いつの間にか缶を持ってる――っ!!
Xのしわざ!?
キャーッ!!
朝陽、からだが透けてるわ――っ!!
スーッ
先祖の2人に…何かあったんじゃ…っ!?
キュアァ
うわ――っ!!
タイムドリフトだっ!!

何回もタイムドリフトして、2人はだいじょうぶか？
朝陽さんとうめさん、今度はいったいどこに…
今回の謎解きは〝食べ物〟が鍵みたいですが…

なあ、灰原…
さっき、朝陽さんのからだが透けてるように見えたのは…
さあ…私、あまりよく見えなかったわ…

やっぱり、〝いつも通り〟博士がしくんでいるんじゃ…

でも、アイツはいったい…

カレーの野菜と肉には壮大な歴史が詰まっている！

人類は長い時間をかけて、おいしい食材をつくり上げてきた！

人類は、食べ物を安定して手に入れるため、そしてよりおいしく食べるために、長い年月をかけて野菜や動物を育てる工夫を重ねてきた。私達が普段食べている野菜や肉のほとんどが、そうした工夫による品種改良（野菜や動物を人工的に改良して、新しい品種をつくること）によって生み出されたものだ。

南アメリカ原産のジャガイモは、ヨーロッパに持ちこまれた当初、芽に毒があることや、『聖書』に載っていないことなどから「悪魔の野菜」と呼ばれたぞ。

野菜に秘められた歴史物語

タマネギの力で戦った剣闘士

古代ローマの剣闘士（※）は、戦いの前にタマネギの汁でからだをマッサージした。タマネギには、力と勇気を高める働きがあると考えられていたんだよ。

オレンジ色ではなかったニンジン!?

オレンジ色のニンジンは、17世紀のオランダで品種改良によって生まれた。それまでは、さまざまな色のニンジンがあったぞ。

ジャガイモは「貧しい人のパン」!?

栄養を多く含み、長期保存ができ、痩せた土地でもよく育つジャガイモは、18世紀のヨーロッパでパンを手に入れられない貧しい人達の主食になった。

※剣闘士……古代ローマ時代、人びとの娯楽のために闘技場で戦った剣士。

カレーの肉は何が好き？

カレーによく使われる肉は、地域や国の文化によって違う！

ウシ

西日本では、カレーに牛肉を使うことが多い。ウシを神聖な動物と考えるヒンズー教徒が多いインドでは、ほとんど使われない。

ブタ

東日本では、カレーに豚肉を使うことが多い。宗教的な理由から豚肉を食べないイスラム教徒が多い地域では使われない。

ニワトリ

日本では、牛肉や豚肉の次に多くカレーに使われる。世界でも、牛肉や豚肉を食べない地域では、羊肉と並んでよく食べられている。

カレーの肉は何を使う？(※)

豚肉
牛肉
豚肉／牛肉
鶏肉
※白色はデータなし

ヒツジ

牛肉や豚肉、鶏肉に比べて、日本では食べることが少ない羊肉だけど、カレーの本場インドでは鶏肉とともによく使われる食材だ。

動物の代わりになる昆虫食の可能性!?

ウシやブタ、ニワトリなどの飼育には、たくさんの水やエサが必要だ。そのため自然環境や人間の生活によくない影響を与える原因にもなっている。そこで、肉に代わるタンパク源として注目されているのが昆虫食。せまい場所でたくさん育てられる昆虫は、世界の食料不足を救う可能性を秘めているのだ。

イナゴの佃煮など、日本でも昔から昆虫が食べられてきた。

※出典◎日本リサーチセンター　NRCレポート「ソース・味付け・食材等に関する調査　Part1：カレーに使う肉編」(2017年5月調査結果)

人間がウマに乗るようになったのは、約1000年前のことじゃ。その際、ウマにまたがりやすい服として、ズボンが発明されたといわれているぞ。

おいしい肉を手に入れろ！

古代の家畜

大昔の人間は、狩りをして野生の動物の肉を手に入れていたが、やがて野生動物を飼い慣らして、自分達の手で育てる「牧畜」が始まった。右の絵は約3000年前の壁画に描かれた古代エジプトの牧畜の様子だ。

野生動物はこうして家畜になった！

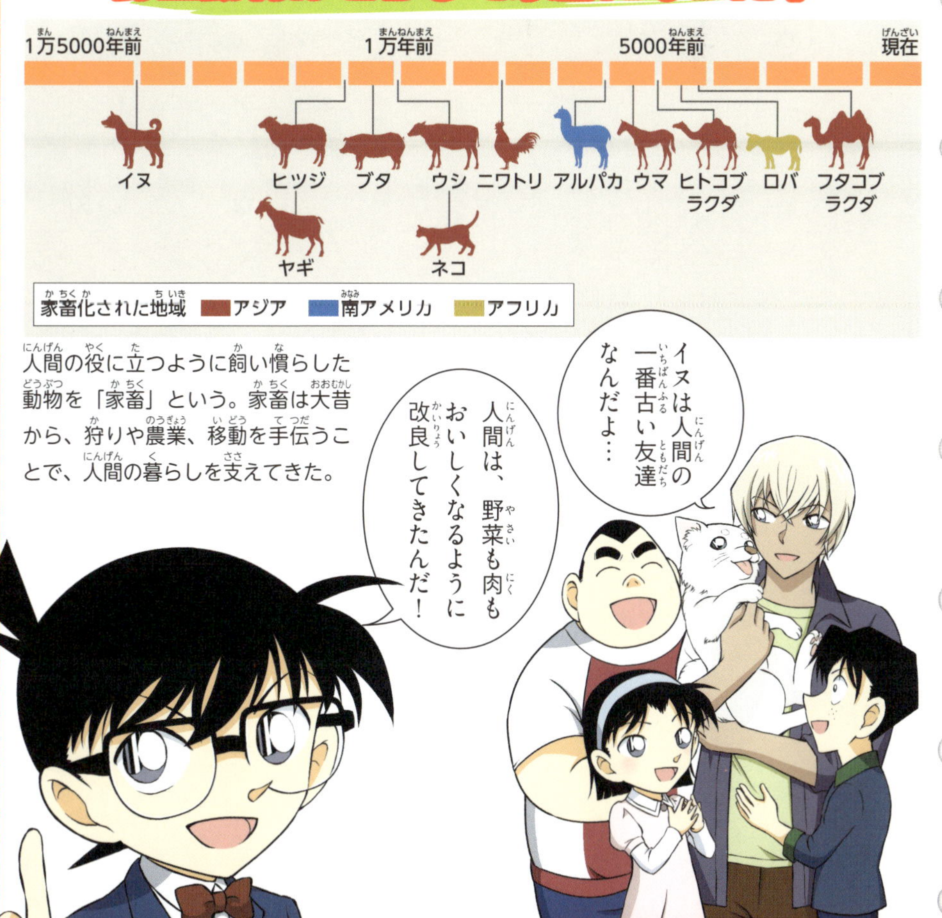

人間の役に立つように飼い慣らした動物を「家畜」という。家畜は大昔から、狩りや農業、移動を手伝うことで、人間の暮らしを支えてきた。

コナンの推理NOTE

食べ物をおいしいままに長もちさせる挑戦！

人類はさまざまな方法で、食べ物を長もちさせる工夫をしてきた。

人類は大昔から食べ物を長く保存するために知恵を絞ってきた。その日暮らしでは、「今日の食べ物は今日探す」という安定した生活が営めないからだ。自然の働きを利用した「塩漬け」や「発酵（※）」などから始まって、やがて缶詰や電気冷蔵庫などに進化した保存技術には、人類の発見と発明の歴史が詰まっている。

※発酵……微生物の働きによって食べ物を食べられる状態に保つ加工方法。

魚を発酵させてつくった調味料を「魚醤」というんじゃ。秋田県の「しょっつる」や石川県の「いしる」など、日本各地にも魚醤を使う文化が残っておるぞ。

食べ物を長もちさせる保存と保冷

長い歴史を持つ保存食！

塩漬け

ポルトガルの「バカリャウ」は、タラを塩漬けにすることで腐りにくくした伝統的な保存食だ。

干物

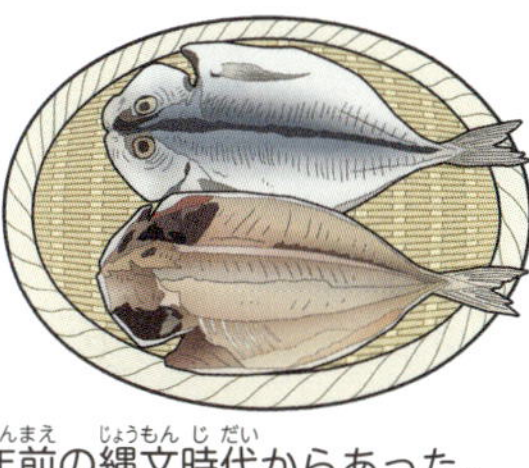

アジを干して乾燥させた日本の「アジの干物」。生より腐りにくい干物は、数千年前の縄文時代からあった。

発酵

ベトナムの「マム・カー」（上）や「ニョクマム」（右）は魚を発酵させた保存食だ。

氷式冷蔵庫

電気冷蔵庫が発明され、家庭に広まる以前は、上段に氷を入れて冷やすしくみの氷式冷蔵庫が使われていた。

冷蔵庫の発明は、人びとの暮らしを大きく変えた！

1950年代のアメリカの雑誌広告。電気冷蔵庫のある広びろとしたキッチンは、当時の人びとのあこがれの的だった。1950～60年代の日本でも、電気冷蔵庫は白黒テレビ、洗濯機とともに「三種の神器」（※）と呼ばれ、豊かな生活の象徴になっていた。

※三種の神器……天皇のしるしとして受け継がれる3つの宝のこと。そこから、家庭でそろえておくと理想的な3つの品物を指して使われた。

缶詰は戦争から生まれた!?

ニコラ・アペール

缶詰は、食品を缶に詰めて加熱することで、中身を腐りにくくした保存食。軍隊のために長期保存できる食料を求めるフランス皇帝ナポレオン1世のため、1804年にフランス人ニコラ・アペールが発明した瓶詰の加工方法が元になっている。

ナポレオン

フランス革命で活躍した軍人。1804年に皇帝になった。

「必要は発明の母」というけれど…

イギリス軍の缶詰

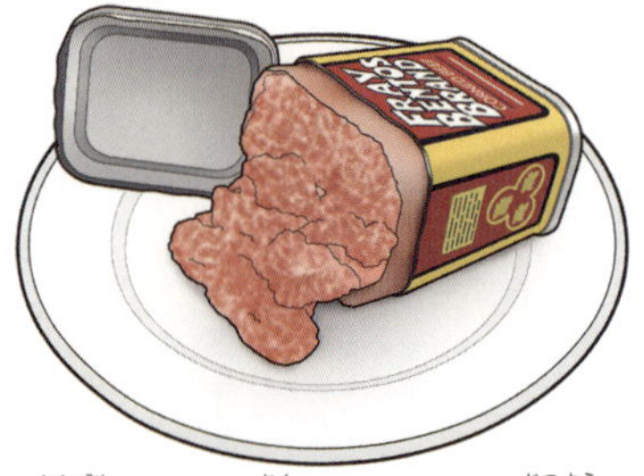

缶詰は1810年にイギリスで実用化され、軍隊の食料に採用された。

21世紀は「水戦争」の時代がやってくる!?

日本では飲み水に困ることはないけれど、世界の人口の約3割、22億人もの人びとが、安全に管理された飲み水を使えない地域に暮らしているという（※）。さらに地球温暖化や人口増加などの影響から、2050年には、世界で50億もの人が水不足になるとの予測もある。そうしたことから、近い将来、水をめぐる争い「水戦争」が起こるともいわれているのだ。

遠くまで歩いて水を汲みにいくアフリカの子ども達。

※ユニセフ・WHO 報告書「家庭の水と衛生の前進 2000～2022年：ジェンダーに焦点を当てて」（2023年）

水道水をそのまま飲める国はたった12か国しかないんじゃ（国土交通省「2021年版 日本の水資源の現況」）。その中でも日本の水道水は、とても高い品質で知られておるぞ。

温度を保つ挑戦！　これが水筒の歴史だ！

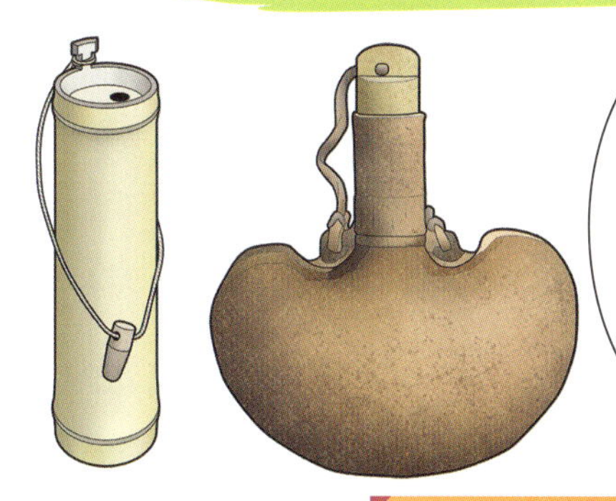

昔の水筒

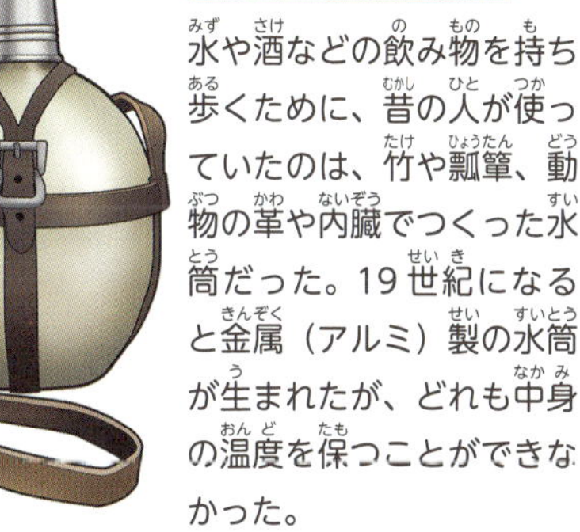

水や酒などの飲み物を持ち歩くために、昔の人が使っていたのは、竹や瓢箪、動物の革や内臓でつくった水筒だった。19世紀になると金属（アルミ）製の水筒が生まれたが、どれも中身の温度を保つことができなかった。

魔法瓶からステンレスボトルへ！

ステンレスボトル

19世紀末に「魔法瓶」が発明され、水筒で保冷・保温ができるようになった。魔法瓶の秘密は、内瓶と外瓶の二重構造にある。その間を真空（※）にして熱の移動を防ぐことで、中身の温度を保っているのだ。内瓶はもともとガラス製だったが、現在はステンレスを用いた「ステンレスボトル」に進化している。

魔法瓶の水筒

※真空……空気がとても薄い状態のこと。

コナンの推理NOTE

食事を安く、早く、手軽に！東西ファストフード対決!!

江戸時代の日本にも「ファストフード」があったって、ほんとう？

ハンバーガーなどのファストフードは、1950年代のアメリカから世界に広まった。その特徴は「安く、早く、手軽に」食べられること。江戸時代の日本の庶民の間にも同じようなニーズはあり、江戸（現在の東京）の町には、すし、そば、天ぷら、うなぎなど、さまざまな屋台が並んでいた。

ファストフードの本場はアメリカだ！

ハンバーガー

ハンバーガーは1920年代のアメリカで生まれた。1950年代にはチェーン店が誕生し、その便利さから世界中に広まった。

ホットドッグ

RED HOT FRANKFURTERS AND ICE COLD DRINKS

1800年代にドイツからの移民がアメリカにもたらしたホットドッグは、その手軽さから街角や遊園地で売られるようになった。

ファストフードは、よくも悪くも世界の食生活を変えたんだ！

FILE. 5 カレーは国境を越えて

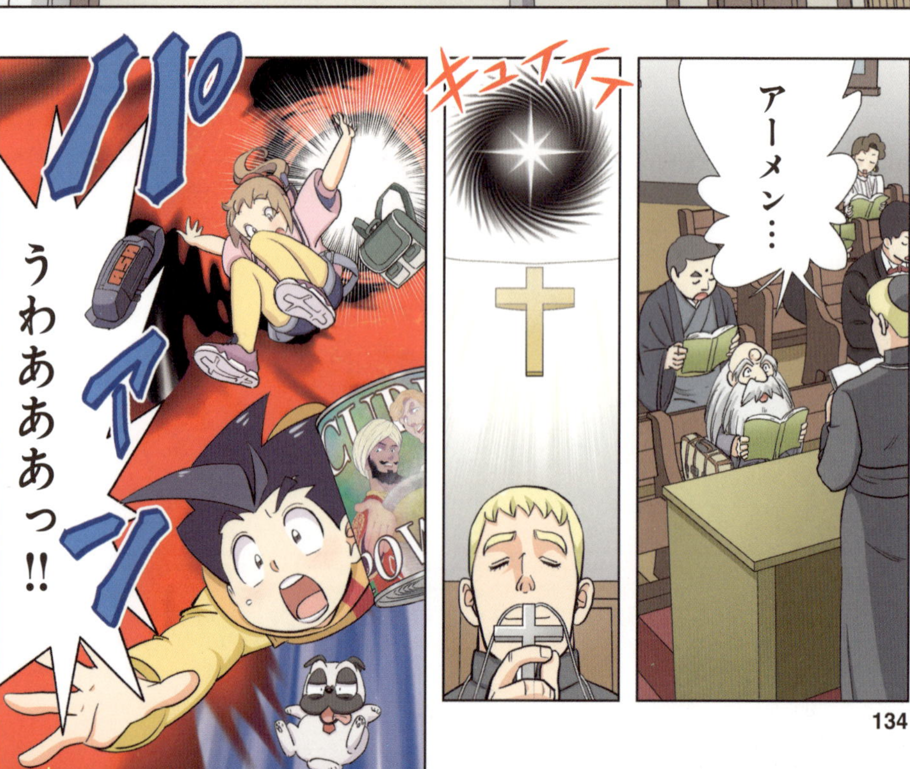

ここは…!?
子どもが降ってきたぞ!
奇跡じゃ!!
バッ

明治の銀座よ!!
うーん

牧師さん、あの2人はどうなったの!?
そろそろ薬を飲むころです…

止めなきゃ!!
ダッ

これさえあれば…
日丸庵のお父さんも納得する料理がつくれるんだ!!

日丸庵が救われるって!?
この子、透けてるぞ…

こうしちゃおれん!
オレ達も西風亭にいくぞっ!!
ダダダ

ああっ富男さん…
あなたは、なぜ富男さんなの？

百合恵さん…
この薬を飲めば2人は仮死状態になる…
キラッ

お葬式が済んだら、ロレンツ牧師が…
キラ
お墓を掘り起こし…
生き返ったボクらは知らない土地で結婚するんだ！

ああ、富男！
百合恵！

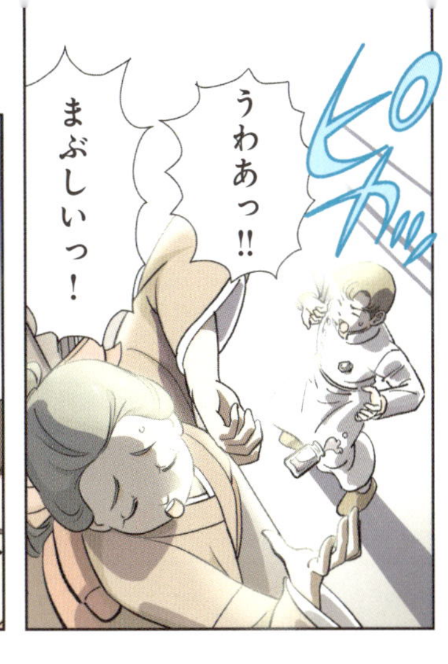
ピカッ
うわあっ!!
まぶしいっ!

ハー
ハー
タタッ

間に合った…!!
ジジジ…

スッ

朝陽のからだが…
戻ったわ!

朝陽君!?
どうしてジャマをするんだいっ!?

逃げちゃダメだよ!!
もう一度百合恵さんのお父さんと勝負するんだっ!!

勝負なんてボクにはもう…
うおおっ!? 何だ、おめえらっ!!

お父つぁんの声だわ!
表の、店の方からだ!!

うわ!
どやどや
何!? この人だかり!

おっ! きたな、次男坊!!
オオッ
さあ! 店の未来をかけた勝負を始めてくんなっ!!

絶対勝てる料理を考えたんだってな!!
ええっ!?
ボクはそんなもの…
街のみんなは、店に残ってほしいんだっ!!

世界史探偵
コナン
1 食と歴史

店の前でやかましい!
ガラ
ガラ

勝負はもうついて…
サッ
店はオレの代で閉めると決まったんだ!!

と…
言いてえが…こりゃ収まりがつかねェな…

もういっぺんだけ味見してやる!

さっさと準備をしろ、次男坊!!
そ、そんな!?ムリだ…
サーッ

何てことしてくれたんだ、朝陽君！
わーっ
もうおしまいだよ!!

だいじょうぶ！

世界をひとつにすれば…
きっと勝てるよ！

これはロレンツ牧師のカレーパウダー…
これでどんな料理ができるの？

これとね……
ゴニョ
ゴニョ

ムリだっ！
一度もつくったことがない料理だよ!!
エエッ
でも…それならお父つぁんを納得させられるかも…
やってみましょうよ、富男さん！

あたしが好きになった
富男さんなら…
できるわ！

…やるよ、
百合恵さん！

SEIFUTEI

…朝陽、
富男さんに教えた
料理レシピって…
どんな
メニューなの？
どう？
まだ
ダメだ…

そばが苦手だった
オレを
そば好きにした…
そばが
苦手なのか…
これなら、どうだ？
魔法の
メニューさ！

できたっ！

こちらで…
タン
お願いします…!!
プアアアアン

カレーそばです!

朝陽が教えた料理って…
これだったのねーーっ!!

ライスカレーの香りだ…
オオッ
そばとカレー!?
くうう、食べてみてェぜ!!

カレーとそばがケンカしないようにダシに気をつかいました…
だあってろい！

パキッ

ザブッ

ズズッ
ズルルッ
ザブ
ズルルッ
だいじょうぶかしら…
だいじょうぶさ！
タ―ン
なんだ…
こりゃあ……

ザババババ
このカレーの器の中に…
海を越えて運ぶ西洋人や…
西洋人の家庭…
料理人の顔…
日本へやってくる船まで見えてくるみてェだ…
これはいってェ何なんだ？

それって！
カレーの歴史だよ！
カレーは世界を旅して…いま、日本の料理となかよしになったんだ！

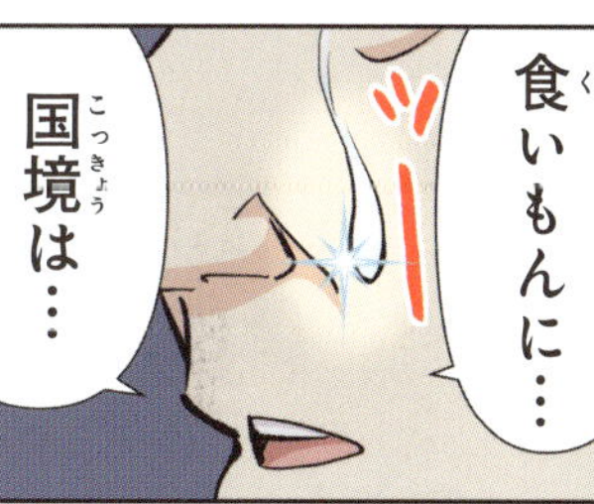
ツー
食いもんに…
国境は…

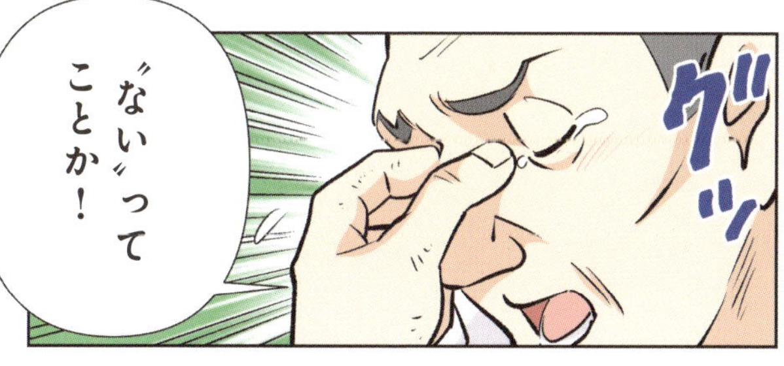
グッ
〝ない〟ってことか！

おい、次男坊！
ハ、ハイ！

カレーのタレはまだ残ってんだろ？

お客さんにもお出ししな…
オオッ
待ってましたー!!

タン
お待ち！
ワイ
ワイ
ひょおおっ！
カレーの香り、
たまんねェ!!
そばと、よく
合いやがる!!
ワイ
ワイ
これぞ、
〝文明開化の
味がする〟だ!!

カラン

ああっ！
お父つぁん、
勝負のほうは…!?

次男坊…

仕込みは朝の6時からだ!
寝坊すんなっ!!
!!!
え…!? ってことは!
合格だーーっ!!
ワァァーッ
やったな、お2人さん——っ!!
これからも、日丸庵のそばをずっと食べられるぞー!!
やったね、朝陽!
うん!!

いこう!
ガチャ
ワイワイ

さようなら…
ご先祖様…

ニャー
トトトッ

スー
ビクッ

ピョーーン
フギャ〜!!

テテーッ
ふふふっ！

背景と同じ写真を投影すると…
135ページの教会の中
カバン
プロジェクター
からだが透けたように見えるのじゃ…
光学迷彩の原理じゃな…
フフッ

たきつけようとからかったが…
タタタッ
チラッ
見事解決したな！

さて…
ぐ〜

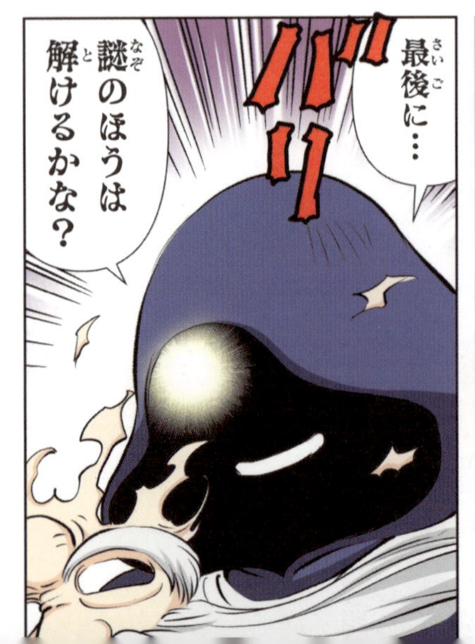
最後に…
謎のほうは解けるかな？

ねェ、朝陽…
タタタッ
いままで、いろいろな歴史を見てきたけれど…

日本と外国に一度にいったのははじめてだったわね！
日本と世界の歴史はつながってんだな！

歴史…
いけねっ！

謎解き!!
バッ
歴史は
?

ポン

解答期限まで…
チッ
チッ
チッ
5分!!
5:00
え———っ!!
???

これは…

ああ…
ここがこの旅の最終目的地ってことだろう…

つまり、答えにたどりつく手がかりはすべてそろったということ…

4:32
ビクトリア女王の時代にもヒントがあったかもしれないわ！

カレーがイギリスで新しい食べ物として広まっていたらしいけど…

じゃあ、〝めずら〟しいかな？

め・ず・ら・し・い！
ピッ
歴史は
めずら
しい
ENT

ブーーーッ

ああ、ダメだわっ！
運命は守ったけど、未来には帰れないーーーっ!!

落ち着いて！
チッ
チッ
チッ
次の答えを考えよう!!
3:28

3:15
うう〜ん…
チッ チッ
チッ チッ
3:00

〝新〟しいは
どうかしら？

百合恵さん達も
新しい料理をつくろうと
していたんだもん！

よし、
それでいこう！
ピッ ピッ ピッ
ブゥ ブゥ
2:40
あ・た・ら・し・い！
2:38

歴史は
あたら
しい
ENTER
ピッ
お願い、
当たって！

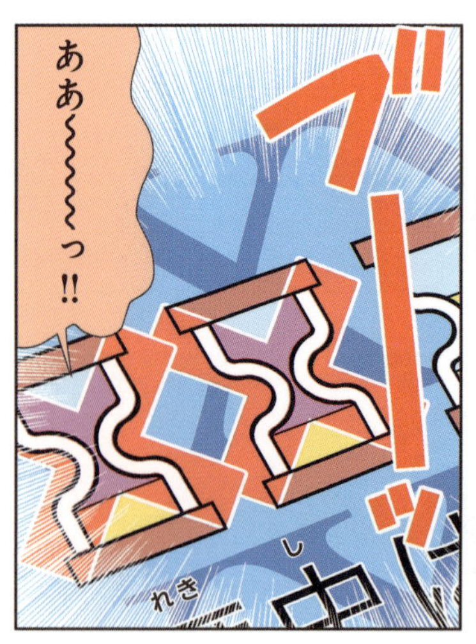
ブーッ
ああ〜〜〜〜っ!!

あと
1回！
オロ オロ
何かあるハズよ…
何かヒントが…

ポークカツレツそばに
インドカレー、
カレーそば…
みんな、
いろいろ食べてて
うらやましいぞ！
じゃあ、
歴史は
〝うらやま〟しい？
残り
2分
です…
わーっ!!

早く答えないと、
Xとの勝負に負けて、
朝陽さん達が
明治時代に
取り残されちゃい
ますよ…!!
う～んと…
え～っと…
どうしよう!
オロ
オロ

何なんだ…
いままで旅した中で
示されていた
手がかりは…

う～ん、
食べ物の話
ばっかりだからよ…
「○○い」
だったら、
「うまい」
なんだけどな…

!?
ハッ

元太、
それだ!
ビシッ

朝陽さん、うめさん！
ピッ
聞こえてた!?

えっ？"うまい"!?
でも、"〜しい"じゃないよ…
チッ
チッ
チッ
1:00
残り1分です…

…分かった！

「うまい」を言いかえるのよ！
えっ
"早く"を"急ぐ"みたいな？

そうか！

歴史は……
歴史は
おい
しい
おいしい！
ピ

CLEAR
やったぁ!!

危なかったぁ〜〜っ!
バフウ…
シュポン
ヘナヘナ
ヤク

あっ…
タイム
ドリフトだっ!!
パアアアッ

お腹ペコペコ…
朝陽のおじいさんの
おそば食べに
いきたい!
おう、
いっしょに
いくか!
フワッ
バフウ!

ああ〜〜〜っ!!
どうしたの？
じいちゃんの店の名前…
日丸庵じゃなくて
口丸庵だった！
キュイイイイ
全然関係のない人助けだったの――!?
ゴメーン!!
フッ

今回の冒険も何とかクリアできましたね！
オレのおかげだよな！
うん！元太君、すごーい！

そうじゃ！元太君のおかげじゃよ！
さあ、たくさん食べてくれ!!
いっただきま～す！

日本にカレーが伝わって、よかったね！
インドやイギリスをへて、この料理ができたわけですからね！

どうかした？

博士のマシンをハッキングするくらいのヤツが考えた謎だから、どんな難問かと思ってたけど…
答えはちょっと拍子抜けだったなって…

まあ、アイツの正体は分からずじまいだけどな…

……
フー

チカ
チカ

あら、例の計画が始まったのね…

ああ…

■Xの正体は？ 目的は？ 新たな時間冒険はまだ始まったばかりだ!!

●世界史探偵コナン シーズンII① 食と歴史 愛と友情の一皿 ●おわり●

名探偵コナン歴史まんが

世界史探偵コナン・シーズン2

1［食と歴史］愛と友情の一皿（スパイス）

2024年4月15日　初版第1刷発行

発行人　野村敦司
発行所　株式会社　小学館
〒101-8001
東京都千代田区一ツ橋2-3-1
電話　編集　03(3230)5632
　　　販売　03(5281)3555

印刷所　TOPPAN株式会社
製本所　牧製本印刷株式会社

ISBN978-4-09-296724-3 Shogakukan.Inc

◆原作／青山剛昌
◆シリーズ構成／田端広英
　カラビナ
◆まんが／狛枝和生　斉藤むねお
◆カバーイラスト／太田勝　斉藤むねお
◆イラスト／九里もなか　加藤貴夫
◆脚本／増田友梨（カラビナ）
◆記事構成／田端広英
◆ブックデザイン／竹歳明弘（Studio Beat）
◆カラーリングディレクター／
二野戸聡　蒔田典尚　木村慎司
（株式会社トッパングラフィックコミュニケーションズ）
◆校閲／目原小百合
◆編集協力／増田友梨　鷲尾達哉　和西智哉
（カラビナ）

◆制作／浦城朋子
◆資材／斉藤陽子
◆宣伝／内山雄太
◆販売／藤河秀雄
◆編集／藤田健彦

［参考文献］
『岩波新書 G103 栽培植物と農耕の起源』（中尾佐助著、岩波書店）、『岩波ジュニア新書 276 砂糖の世界史』（川北稔著、岩波書店）、『中公新書 1930 ジャガイモの世界史　歴史を動かした「貧者のパン」』（伊藤章治著、中央公論新社）、『岩波ジュニア新書 937 食べものから学ぶ世界史　人も自然も壊さない経済とは?』（平賀緑著、岩波書店）、『中公新書 1095 コーヒーが廻り 世界史が廻る　近代市民社会の黒い血液』（臼井隆一郎著、中央公論新社）、『SBビジュアル新書 0017 カレーの世界史』（井上岳久著、ＳＢクリエイティブ）、『世界のカレー図鑑ミニ』（ハウス食品監修、マイナビ出版）、『図解でわかる 14歳から知る食べ物と人類の1万年史』（インフォビジュアル研究所著、太田出版）、映画『ヴィクトリア女王 最期の秘密』（2017年、アメリカ、イギリス）

※このまんがは、史実を下敷きに脚色して構成しています。